Filomena Anzivino - Katia

Ci vuole orecchio!

Ascolti autentici per sviluppare la comprensione orale

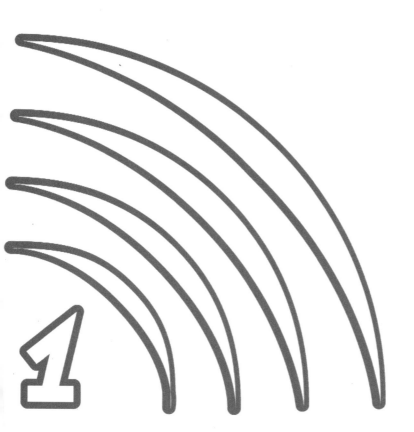

1

ALMA
Edizioni
Firenze

Direzione editoriale: **Ciro Massimo Naddeo**

Redazione: **Carlo Guastalla**, **Euridice Orlandino** e **Chiara Sandri**

Progetto grafico e impaginazione: **Andrea Caponecchia**

Progetto copertina: **Sergio Segoloni**

Illustrazioni: **Cristiano Sili**

Le autrici ringraziano per aver prestato la loro voce:
Carlo Guastalla, Chiara Sandri, Diana Pedol, Francesca Granone, Giovanna Sciuti Russi,
Euridice Orlandino, Licia D'Angelo, Maria Grazia Orsi, Matteo Capanni, Mattia Molica,
Pietro Paolo Moroncelli, Renata Marzari, Roberto Aiello, Rosi Paulicelli, Stefano Urbani.

Stampa: la Cittadina, azienda grafica - Gianico (BS)

Printed in Italy
ISBN: 978-88-6182-101-9

©2009 **Alma Edizioni**
Prima edizione: settembre 2009

Alma Edizioni
Viale dei Cadorna, 44
50129 Firenze
tel. +39 055476644
fax +39 055473531
alma@almaedizioni.it
www.almaedizioni.it

Indice

1 Un telegramma •

1 *Collega i disegni alle azioni.*

a. chiedere informazioni

b. prenotare un biglietto a teatro

c. comprare una macchina

d. inviare un telegramma

e. fare un reclamo

2 *Ascolta la conversazione e scegli quale disegno rappresenta la situazione.* 02

○ 1   ○ 2   ○ 3   ○ 4   ○ 5

3 *Abbina le parole della lista alle immagini, come nell'esempio.*

a. nome

f. CAP
(8)

Mario Rossi
Via Stretta, 3
50058 – Signa (FI)

b. cognome
(6)

g. bolletta telefonica
(3)

c. lettera
(1)

h. telegramma
(2)

d. indirizzo
(7)

e. provincia
(9)

i. pacco
(4)

4 *Ascolta ancora la conversazione e rispondi alla domanda.* 02

Tre oggetti del disegno del punto **3** non sono presenti nella conversazione. Quali?

5 *Abbina le parole alle immagini.*

mittente

destinatario

a.

b.

6 *In Italia per fare lo **spelling** di un nome o di un cognome si usano nomi di città* 03
italiane (per lo più capoluoghi di provincia). Nella tabella trovi i nomi più comuni.
Ascolta la conversazione e scrivi le città mancanti.

A come Ancona	**B** come Bologna	**C** come	**D** come Domodossola	**E** come	**F** come Firenze	**G** come Genova
H come hotel	**I** come	**L** come Livorno	**M** come Milano	**N** come Napoli	**O** come	**P** come Palermo
Q come quadro	**R** come	**S** come Savona	**T** come Torino	**U** come Udine	**V** come Venezia	**Z** come Zara

7 *Ascolta la conversazione e completa il modulo del telegramma.*

Posteitaliane	*Servizio telegrammi*

Mittente

_____

Nome e Cognome

_____

Indirizzo

_____ _____ _____
CAP   Città   Provincia

Destinatario

_____

Nome e Cognome

_____

Indirizzo

_____ _____ _____
CAP   Città   Provincia

Testo

_____
Firma

Ci vuole orecchio ● *Alma Edizioni*

8 *Ora ascolta tutta la conversazione e completa le affermazioni.*   04

a. Il Signor Mauro invia il telegramma per
- ○ **1.** comunicare un'emergenza.
- ○ **2.** fare degli auguri.
- ○ **3.** chiedere informazioni.
- ○ **4.** accettare un invito.

b. Il destinatario del telegramma è
- ○ **1.** la nipote
- ○ **2.** la sorella
- ○ **3.** la madre
- ○ **4.** un'amica

del Signor Mauro.

c. Il telegramma arriva a destinazione
- ○ **1.** domani.
- ○ **2.** dopodomani.
- ○ **3.** fra 3 giorni.

d. Il signor Mauro sta telefonando
- ○ **1.** da casa sua.
- ○ **2.** dall'ufficio.
- ○ **3.** da casa di un'altra persona.
- ○ **4.** da una cabina telefonica.

e. L'operatore
- ○ **1.** conosce
- ○ **2.** non conosce
- ○ **3.** non vuole dire

il costo del telegramma.

f. L'operatore dice che il signor Mauro potrà controllare il costo del telegramma
- ○ **1.** nella bolletta telefonica.
- ○ **2.** nel conto corrente bancario.
- ○ **3.** nelle tasse.
- ○ **4.** alla posta.

2 Ho cinque anni •

1 *Abbina le parole della lista alle immagini.*

- e. classe
- a. maestra
- f. lavagna
- b. matita
- g. foglio
- c. banco
- h. penna
- d. sedia
- i. quaderno
- l. libro

2 *Ascolta l'audio e metti una X accanto alle parole ogni volta che le senti.* 05

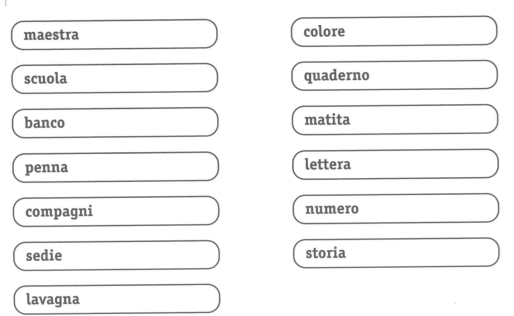

- maestra
- colore
- scuola
- quaderno
- banco
- matita
- penna
- lettera
- compagni
- numero
- sedie
- storia
- lavagna

3 *Ascolta l'audio e <u>sottolinea</u> l'opzione corretta, come nell'esempio.*

Mattia ha cinque anni, va a scuola in un paese che si chiama **Gioia Mare/*Gioiosa Marea***.

Frequenta la scuola **media/elementare** e ha circa **16/14** compagni e tante maestre.
Nella sua classe ci sono i banchi, le sedie e un tavolo **piccolo/grande** per la maestra.
Mattia, durante la lezione di italiano, **ha studiato/non ha studiato** le vocali e fa sempre tanti disegni che colora di **rosso, blu, viola, verde e nero/rosa, blu, grigio, verde e nero**. Di solito, lui scrive sul suo **quaderno/libro** e la maestra scrive alla lavagna.
A Mattia **piacciono/non piacciono** molto le sue maestre e i suoi compagni: una volta ha **disegnato/colorato** una storia insieme a **6/3** compagni e si è proprio divertito!
Fernanda è una bambina di **7/6** anni, alta e con i capelli... gialli!

4 *Completa le domande con le parole della lista (attenzione, ce n'è una in più!), poi collegale con le risposte. Quando hai finito ascolta l'audio e verifica.*

come   quanti   quale   cosa

che   dove   quanti   perché

1. Ma tu ( ) anni hai?

2. E ( ) scuola fai?

3. In ( ) paese?

4. E ( ) compagni hai a scuola?

5. Ma mi vuoi dire un po' della tua scuola.
( ) è?

6. Poi? ( ) c'è nella tua classe?

7. E poi? ( ) scrive la maestra, sui vostri quaderni?

a. I banchetti... le sedie.

b. La prima B elementare.

c. Sulla lavagna.

d. Cinque.

e. Gioiosa Marea.

f. Non lo so.

g. Grande, con tante maestre.

5 *Completa la descrizione di Mattia con gli aggettivi della lista (sono in ordine).*
Attenzione: tutti gli aggettivi della lista sono al maschile singolare.

dolce · liscio · castano · primo · stesso · colorato · suo · diverso · arancione · piccolo · sorpreso

Mattia è un bambino molto ⏤⏤⏤⏤, con i capelli ⏤⏤⏤⏤ e due grandi occhi ⏤⏤⏤⏤ molto espressivi. Quest'anno è il suo ⏤⏤⏤⏤ anno di scuola e a lui piace così tanto che quando torna a casa vuole ancora scrivere, leggere e fare le ⏤⏤⏤⏤ cose che fa a scuola.

A Mattia piace molto fare disegni ⏤⏤⏤⏤ e quando finisce li appende ai muri della ⏤⏤⏤⏤ stanza.

Il suo papà ha dipinto tutti i muri di colori ⏤⏤⏤⏤: uno è rosso, l'altro è blu, il terzo è ⏤⏤⏤⏤ e l'ultimo è rosso.

Mattia ha una sorellina ⏤⏤⏤⏤ che si chiama Naima. Quando è nata, quattro anni fa, lui ha chiesto alla sua mamma dov'era e lei gli ha fatto vedere la sorellina nella culla. Lui l'ha guardata, poi ha guardato la mamma con aria ⏤⏤⏤⏤ e ha detto: "Wow!".

6 *Ascolta la conversazione e scrivi le caratteristiche di Fernanda.* 07

Fernanda

7 *Di che colore sono i capelli di Fernanda?*

Secondo Mattia: **Secondo la mamma di Mattia:**

Di che colore?

Per descrivere i capelli usate gli aggettivi: **rossi**, **biondi**, **castani**, **neri** (oppure semplicemente **chiari** e **scuri**).
Per parlare degli occhi usate gli aggettivi: **azzurri**, **castani**, **marroni**, **neri**, **verdi** (oppure, anche questa volta, semplicemente **chiari** e **scuri**).
La pelle, infine, può essere **chiara**, **scura**, **olivastra**.
Esempio: *Mattia ha i capelli castani, gli occhi scuri e la pelle olivastra.*
Fernanda, invece, ha i capelli biondi, gli occhi azzurri e la pelle scura.

8 *E tu? Come sei? Descriviti!*

Io ho i capelli (   ), gli occhi (   ) e la pelle (   ).

9 *Guarda l'immagine e collega le descrizioni ai bambini con una freccia.*

1. È sorridente e ha i capelli molto ricci.
2. Ha i capelli lunghi e indossa un vestito molto semplice. È al centro della foto dietro la mazza da baseball.
3. Ha una maglietta a righe e stringe in mano una piccola coperta.
4. È un simpatico cane con un grande sorriso.
5. Ha una simpatica coda ed è molto piccolo. È davanti a sinistra, vicino al cane.
6. Ha i capelli scuri e un cappellino in testa.
7. Indossa una maglietta con una striscia a zig zag. È al centro della fotografia.
8. Ha i capelli lisci e lunghi e molte lentiggini. È dietro, al centro.
9. Indossa un vestito a pois e ha in mano una corda per saltare.
10. Ha i capelli corti e un bel sorriso. È a sinistra, dietro il cane.

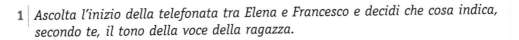

3 Un incontro

1 *Ascolta l'inizio della telefonata tra Elena e Francesco e decidi che cosa indica, secondo te, il tono della voce della ragazza.*

08

- ○ **a.** Elena si arrabbia per quello che dice Francesco.
- ○ **b.** C'è un problema che la ragazza non conosceva.
- ○ **c.** La ragazza è molto contenta e tutto è perfetto.

2 *Ascolta l'inizio della telefonata e decidi se le affermazioni sono vere (V) o false (F).* 09

	V	F
a. Elena è arrivata da poco.		
b. Francesco deve andare all'università.		
c. Elena non vuole pranzare con Francesco.		
d. Elena deve prendere il traghetto.		

3 *Ascolta la telefonata e decidi in quale delle tre città si trovano Elena e Francesco.* 10

- ○ Roma
- ○ Firenze
- ○ Venezia

Ci vuole orecchio • *Alma Edizioni*

4 *Ascolta la telefonata e indica le azioni scegliendo un disegno per ogni colonna.* 10

5 *Ascolta la telefonata e completa la mappa con i nomi mancanti. Attenzione: dovrai anche disegnare il "Ponte di Calatrava" che nella mappa non c'è!*

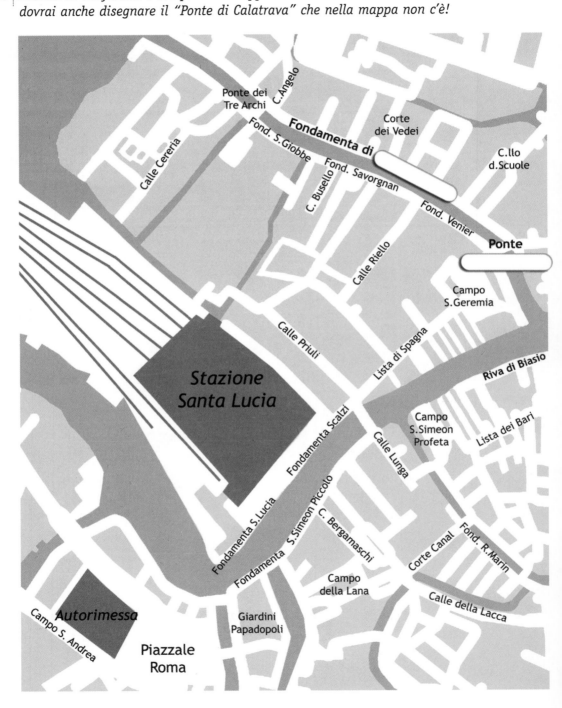

6 *Guarda la mappa e collega le parole al sinonimo corrispondente.*

a. calle	**1.** strada lungo il canale
b. campo	**2.** strada, via
c. ponte	**3.** grande piazza
d. fondamenta	**4.** piccola piazza
e. piazzale	**5.** costruzione che collega due parti da attraversare

7 *Inserisci negli spazi i verbi della lista al presente indicativo e le preposizioni della colonna di destra. I verbi non sono in ordine.*

11

girare   arrivare   girare   proseguire

portare   superare   arrivare   passare

Francesco: Il ponte ( ) ( ) stazione di Santa Lucia.   **a**

Elena: Ah, ecco, sì, sì questa c'è. Va bene.

Francesco: Allora, per arrivare all'università, tu ( ) il Ponte di Calatrava.

Elena: Sì.

alla

Francesco: ( ) la stazione...

Elena: Sì.

Francesco: E prosegui sempre dritta, ( ) ( ) un campo   **a**

che si chiama Campo San Geremia e ad un ponte, il Ponte delle Guglie.

Elena: Sì, quindi sempre dritta fino al Ponte delle Guglie.

Francesco: Perfetto.

su

Elena: Sì.

Francesco: Al Ponte delle Guglie ( ) ( ) sinistra.

Elena: Sì... aspetta, c'è scritto "Fondamenta di Cannaregio".

Francesco: Esatto, Fondamenta di Cannaregio.

ad

Elena: Mmmm...

Francesco: ( ) ( ) queste Fondamenta di Cannaregio...

Elena: Sì.

a

Francesco: E ( ) ( ) un ponte, dei Tre Archi, si chiama.

Elena: Sì.

Francesco: Non devi arrivare ( ) ponte. Poco prima del ponte   **al**

( ) ( ) destra, c'è una stradina, si chiama Calle Angelo.

Elena: Sì, sì, la vedo sulla mappa. Eccola.

Francesco: Ok. Allora, praticamente l'università è lì.   **a**

8 *Osserva la conversazione del punto **7** e completa la tabella come nell'esempio.*

Verbo	Preposizione + parola	
girare	☒ Sì = *a sinistra*	○ No
proseguire	○ Sì = _____	○ No
arrivare	○ Sì = _____	○ No
passare	○ Sì = _____	○ No
portare	○ Sì = _____	○ No
superare	○ Sì = _____	○ No

9 *Guarda ancora la mappa al punto **5**. Adesso sei a Calle dell'Angelo. Completa le istruzioni per arrivare al Campo di S. Simeon Profeta inserendo sulle righe _____ i verbi della lista al presente e sulle righe _ _ _ _ _ _ _ _ i sostantivi della lista.*

Verbi	Sostantivi
girare proseguire	Calle Campo
portare	Ponte
arrivare passare	Fondamenta

Per arrivare a Campo di S. Simeon Profeta, vai fino alle Fondamenta di Cannaregio e attraversi il _ _ _ _ _ _ _ _ dei Tre Archi. Poi cammini lungo le _ _ _ _ _ _ _ _ di S. Giobbe, di Savorgnan e di Venier e _____ a sinistra.

_____ dritto e superi il _ _ _ _ _ _ _ _ di S. Geremia. Percorri tutta la Lista di Spagna e _____ alle Fondamenta degli Scalzi. _____ il Ponte degli Scalzi e cammini fino alla _ _ _ _ _ _ _ _ Lunga. Giri a sinistra, attraversi un altro ponte che _____ al Campo di S. Simeon Profeta. Arrivato!

1 *Ascolta e indica che lavoro fa, secondo te, la persona che parla.*

○ **a.** Il conduttore di una
trasmissione alla televisione.

○ **b.** Il giornalista
del telegiornale.

○ **c.** Il deejay di una trasmissione
alla radio.

2 *Ascolta l'audio completo. Sei ancora della stessa opinione del punto 1?*

3 *Indica di quale stagione si parla. Se necessario ascolta ancora.*

    ○ **a.** autunno   ○ **b.** estate   ○ **c.** primavera   ○ **d.** inverno

4 *Ascolta ancora e cerca sulla mappa di Roma i parchi nominati.*

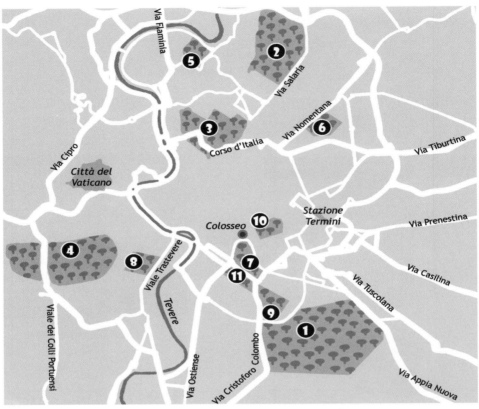

1	**Parco della Caffarella**	**7**	**Villa Celimontana**
2	**Villa Ada**	**8**	**Villa Sciarra**
3	**Villa Borghese**	**9**	**Parco degli Scipioni**
4	**Villa Doria Pamphili**	**10**	**Parco del Colle Oppio**
5	**Villa Glori**	**11**	**Passeggiata Archeologica**
6	**Villa Torlonia**		

5 *Ascolta ancora e scegli quali sono i suggerimenti del deejay.*

- ○ **a.** stare a casa
- ○ **b.** uscire in strada
- ○ **c.** andare al parco
- ○ **d.** andare per negozi
- ○ **e.** stare al bar
- ○ **f.** andare al mare
- ○ **g.** andare in bicicletta
- ○ **h.** andare al cinema
- ○ **i.** andare al lavoro
- ○ **l.** divertirsi con altre persone
- ○ **m.** rilassarsi
- ○ **n.** vivere la città

6 *Scrivi gli aggettivi della lista accanto alle definizioni.*

a. remoto **b.** prossimo **c.** unico **d.** splendido
e. musicale **f.** cittadino **g.** stupendo **h.** nuovo
i. cattivo **l.** questo **m.** meraviglioso

1. contrario di **buono**

2. contrario di **vecchio**

3. sinonimo di **nascosto**, **lontano**

4. aggettivo per indicare le cose vicine

5. sinonimo di **della città**

6. contrario di **scorso**

7. aggettivo derivato dalla parola **musica**

8. sinonimi di **molto bello**

9. sinonimo di **non normale**

7 *Inserisci gli aggettivi del punto **6** negli spazi. Fai attenzione alle concordanze. Poi ascolta e verifica.* 13

1. Benvenuti ad una ⬭ puntata di ⬭ programma che vi terrà compagnia nelle ⬭ ore con una ⬭ selezione ⬭.

2. Le gioie di ⬭ ⬭ città in un periodo in cui è veramente straordinaria.

3. Ci siamo lasciati alle spalle tutto il ⬭ tempo di ⬭ inverno.

4. Ed oggi splende un sole ⬭!

5. Parchi ⬭ aperti alla gioia di bambini e non solo.

6. La bicicletta è uno ⬭ mezzo per girare la città e goderne anche negli angoli più ⬭.

7. Esperienza ogni volta ⬭ ed ⬭.

8 *In questa trascrizione le sei parole <u>sottolineate</u> sono state scambiate a coppie. Ricostruisci la sequenza corretta, poi ascolta e verifica.*

C'è lo spazio per fare **soprattutto** di tutto e questo **tanto** dovete prendervelo! Uscite di casa, andate a spasso per i **giorni** meravigliosi: Villa Borghese, Villa Pamphili sono a vostra disposizione. E poi divertitevi andando in giro anche in bicicletta per questa città che ogni **spazio** lo permette, **praticamente** nei **parchi** di festa.

9 *Per ogni espressione estratta dal testo del punto **8** ci sono tre esempi con il verbo cambiato. Attenzione: in ogni serie di tre espressioni, una non è possibile. Quale?*

1. Fare di tutto   *C'è lo spazio per fare di tutto.*

○   **a.** Mangiare di tutto   *Mi piace mangiare di tutto.*

○   **b.** Andare di tutto   *Io e Francesca andiamo di tutto, viaggiamo sempre!*

○   **c.** Leggere di tutto   *Non ho preferenze con i libri: leggo di tutto.*

2. Andare a spasso   *Andate a spasso per i parchi.*

○   **a.** Camminare a spasso   *Ogni tanto mi piace camminare a spasso per la città.*

○   **b.** Essere a spasso   *Quando sono a spasso stacco il telefonino.*

○   **c.** Portare a spasso   *Ti richiamo dopo. Devo portare a spasso il cane.*

3. Andare in giro   *Divertitevi andando in giro anche in bicicletta.*

○   **a.** Mangiare in giro   *Oggi mangiamo in giro, non ho voglia di cucinare.*

○   **b.** Stare in giro   *Franco sta in giro. Tornerà all'ora di cena.*

○   **c.** Scendere in giro   *Firenze è tutta bella. Basta prendere un autobus e scendere in giro.*

4. Uscire di casa   *Uscite di casa!*

○   **a.** Sentirsi di casa   *In questo bar mi sento di casa, mi conoscono tutti!*

○   **b.** Venire di casa   *Forse è meglio se vieni di casa, così arrivi prima.*

○   **c.** Andarsene di casa   *Io me ne sono andato di casa a 17 anni.*

Ci vuole orecchio • Alma Edizioni

5 In viaggio

1 *Ascolta la conversazione. Dove sono le due signore?*
15

○ **a.** Al cinema.

○ **b.** Al supermercato.

○ **c.** In treno.

○ **d.** All'ufficio postale.

○ **e.** Al ristorante.

○ **f.** Dal dottore.

2 *Ascolta ancora la conversazione. Secondo te qual è il problema?*
15

○ **a.** Il numero del posto di una delle due signore è sbagliato.

○ **b.** C'è un errore sul biglietto della signora già seduta.

○ **c.** La signora già seduta e quella che arriva hanno la prenotazione per lo stesso posto.

○ **d.** La prenotazione della signora che arriva è scaduta.

○ **e.** La prenotazione della signora che arriva non è valida perché è stata fatta in ritardo.

○ **f.** La signora già seduta non trova il biglietto.

3 *Metti in ordine le frasi della conversazione, poi ascolta per verificare.* 16

1. Signora che arriva:	◯ Scusi, ma io ho un posto prenotato, sono già seduta, questo è il mio posto.
2. Signora già seduta:	◯ Posso vederlo? Magari c'è stato uno sbaglio o si ricorda male. Succede, sa?
3. Signora che arriva:	⑦ Buonasera.
4. Signora già seduta:	◯ Salve.
5. Signora che arriva:	◯ Certo, certo, aspetti, eh, che lo prendo.
6. Signora già seduta:	◯ Eh... mi scusi, io mi dovrei sedere qui.
7. Signora che arriva:	◯ Sì, sì, ce l'ho il biglietto.
8. Signora già seduta:	◯ Ma, guardi, io ho il biglietto e il numero è proprio il 28, se vuole controllare, c'è qui la prenotazione, la carrozza è la 7.
9. Signora che arriva:	◯ Ma... non ho bisogno di controllare perché questo è il mio posto, quindi non ritengo, insomma, che Lei debba sedersi qui, io ho il mio posto.
10. Signora già seduta:	◯ Ma, scusi, Lei ha il biglietto?

4 *Adesso ascolta l'intera conversazione. Sei ancora della stessa opinione del punto 2?* 16

5 Ascolta la conversazione tutte le volte che è necessario e completa la griglia con le informazioni nella lista. Attenzione: alcune informazioni possono essere ripetute per entrambe le signore.

1. Ha il posto 28.	**2.** Sta nella carrozza 7.	**3.** Sta lavorando.
4. Propone di andare dal controllore.	**5.** Ha prenotato ieri.	**6.** Ha prenotato una settimana fa.
7. Ha comprato il biglietto in biglietteria.	**8.** Ha comprato il biglietto via internet.	**9.** È molto stanca.

Signora già seduta	Signora che arriva

6 Osserva la frase che dice la signora che arriva.

Eh... mi scusi, io mi **dovrei** sedere qui.

*Perché usa il condizionale (**dovrei**) e non il presente indicativo (**devo**)?*

○ **a.** Perché non è sicura.

○ **b.** Per essere più gentile.

7 *Osserva i mini dialoghi e indica quando il condizionale è usato* **perché non si è sicuri** *(a) e quando* **per essere più gentili** *(b).*

1.   ○ **a**   ○ **b**
A una festa:
● A che ora arriva la tua amica?
□ **Dovrebbe** arrivare alle otto, se mi ricordo bene.

2.   ○ **a**   ○ **b**
Tra amici:
● Avete visto Marco?
□ **Dovrebbe** essere a casa. Prova a chiamare.

3.   ○ **a**   ○ **b**
Al telefono:
● Senti Sandra, io **dovrei** uscire. Mi puoi chiamare più tardi?
□ Certo, certo!

4.   ○ **a**   ○ **b**
Tra coinquilini:
● Lucia, **dovremmo** pagare la bolletta della luce. Hai portato i soldi?
□ Si, sì, eccoli.

8 *Ascolta la conversazione tutte le volte che è necessario per completare le frasi.* 18
Quando non riesci più ad andare avanti vai al punto **9**.

Signora già seduta: Io, _____ , adesso stavo facendo _____ ,
_____ intenzione di _____ , _____
stanca...

Signora che arriva: Signora, _____ , _____
glielo _____ cortesemente, _____
_____ , da sola _____ andare.

9 *Completa la trascrizione dello scambio di battute tra le due signore del punto **8** inserendo al posto giusto le parole qui sotto.*

Signora già seduta:	alzarmi / anche / e / ho / guardi / lavoro / molto / non / sono / un
Signora che arriva:	andare / chiedendo / così / favore / gentile / insieme / io / non / per / possiamo / posso / sono / sto

10 *La signora che arriva usa la forma **"sto chiedendo"**. È un **presente progressivo**. Completa la tabella.*

Il presente progressivo

Il **presente progressivo** si forma con il verbo ⟨⟩ **al presente + il gerundio.**
Il gerundio dei verbi in **-ARE** si forma con la radice del verbo **+ -ANDO**.
Esempio: *andare = andando*

Il gerundio dei verbi in **-ERE** e **-IRE** si forma con la radice del verbo **+** ⟨⟩.
Esempio: *chiedere = _____*
partire = partendo

11 *Adesso osserva le due battute del punto **8** e scegli la funzione del **presente progressivo**.*

Il presente progressivo si usa per

○ **a.** sottolineare l'azione nel momento in cui si svolge.

○ **b.** parlare di un'abitudine.

○ **c.** descrivere un'azione finita.

12 *Inserisci nel dialogo le parole della lista, poi ascolta e verifica.* 16

a. Mi scusi   **b.** Magari   **c.** Ma   **d.** Sì, sì,

e. Ma, guardi   **f.** Certo, certo   **g.** Ma, scusi,

Signora che arriva:	Buonasera.
Signora già seduta:	Salve.
Signora che arriva:	Eh… ⬭⬭⬭⬭⬭ , io mi dovrei sedere qui.
Signora già seduta:	Scusi, ma io ho un posto prenotato, sono già seduta, questo è il mio posto.
Signora che arriva:	⬭⬭⬭⬭⬭ , io ho il biglietto e il numero è proprio il 28, se vuole controllare, c'è qui la prenotazione, la carrozza è la 7.
Signora già seduta:	⬭⬭⬭⬭⬭ … non ho bisogno di controllare perché questo è il mio posto, quindi non ritengo, insomma, che Lei debba sedersi qui, io ho il mio posto.
Signora che arriva:	⬭⬭⬭⬭⬭ , Lei ha il biglietto?
Signora già seduta:	⬭⬭⬭⬭⬭ ce l'ho il biglietto.
Signora che arriva:	Posso vederlo? ⬭⬭⬭⬭⬭ c'è stato uno sbaglio o si ricorda male. Succede sa?
Signora già seduta:	⬭⬭⬭⬭⬭ , aspetti eh, che lo prendo…

13 *Scrivi le espressioni del punto 12 al posto giusto nella tabella.*

Espressione che introduce un disaccordo	Espressione usata per confermare con forza
1.	**1.**
2.	**2.**
3.	
Espressione che introduce dubbio, possibilità	**Espressione usata per ricevere attenzione**
1.	**1.**

6 La casa

1 *Metti in ordine i tipi di abitazione, dal più piccolo al più grande.*

a. villa   **b.** appartamento   **c.** monolocale   **d.** villetta

> ( ) > ( ) > ( ) > ( )

2 *Ascolta la conversazione e decidi di che situazione si tratta.*

- ○ **a.** Una persona che descrive la casa di amici.
- ○ **b.** Un agente immobiliare che descrive a una cliente una casa in vendita.
- ○ **c.** Una persona che descrive la sua casa ideale.
- ○ **d.** Una persona che descrive la sua nuova casa.

3 *Ascolta la conversazione completa. Sei ancora della stessa opinione del punto **2**?*

4 *Ascolta ancora. Francesca e Roberto parlano della stessa camera?*
Osserva i disegni e indica con una freccia la casa a cui stanno pensando.

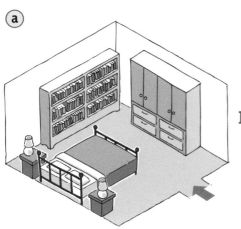

a

Francesca
Roberto

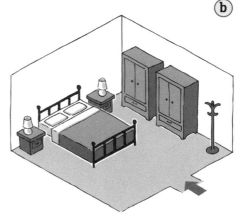

b

5 *A quale annuncio ha risposto Roberto per affittare la sua nuova casa?*
Se necessario ascolta ancora la conversazione. [20]

ffitto Specialisti in affitto di immobili residenziali

| Home | Blog | Offerte via e-mail |

☐ **a.** Affitto appartamento con riscaldamento autonomo, ingresso, soggiorno, cucina abitabile, 1 camera, bagno.
Telefonare al numero: 3290026544

☐ **b.** Affitto appartamento, secondo piano, ingresso, piccola cucina, camera da letto, bagno, balcone.
Telefonare al numero: 3290026544

☐ **c.** Affitto appartamento luminoso, silenzioso, al terzo piano, ingresso, soggiorno, due camere da letto, cucina, due bagni, terrazzo.
Telefonare al numero: 3290026544

6 *Ascolta la descrizione che Roberto fa della casa e inserisci le informazioni nella scheda.* [20]

Superficie	
Zona	
Bagno	
Cucina	
Camera da letto	
Soggiorno	

Essere o esserci?

Essere:
- si usa per parlare delle caratteristiche di una persona, di un luogo, di una cosa.
  Esempio: *Roma **è** una città ricca di storia.*
- Si usa per indicare lo stato di qualcuno o qualcosa.
  Esempio: *L'autobus **è** affollato.*
- Si usa per identificare qualcuno o qualcosa.
  Esempio: *Quelli **sono** i miei amici.*

Esserci:
- si usa per descrivere un problema o qualcosa che esiste in un determinato momento.
  Esempio: *In questo periodo **ci sono** molti turisti.*
- Si usa per parlare di qualcosa che è presente in un certo momento o in un certo luogo.
  Esempio: *In casa non **c'è** nessuno.*

7 *Leggi il box, poi completa il dialogo usando **essere** o **esserci**. Quando hai finito ascolta la conversazione e verifica.*   19

Roberto: È piccola: ⌒ più o meno 60 metri quadrati, ⌒ subito l'entrata, vai a sinistra ⌒ la cucina, che ⌒ una cucina abitabile...

Francesca: Ah, beh, comodo, benissimo.

Roberto: ...dove si può mangiare anche in sette, otto persone, e poi subito vicino alla cucina ⌒ la camera da letto. Un po' strana come sistemazione però, insomma così, ci convinceva più così.

Francesca: Quindi ⌒ molto grande la camera da letto...

Roberto: La camera da letto ⌒ abbastanza grande, sì, abbastanza grande, per fortuna. Non ⌒ molto, molto luminosa, però ⌒ abbastanza grande. E poi invece dopo l'ingresso, a destra trovi subito un piccolo bagno, non ⌒ la vasca, ⌒ solo la doccia, e poi ancora sulla destra ⌒ l'ultima camera che ⌒ un soggiorno, anche questo molto grande... ⌒ le librerie...

8 *Leggi la trascrizione del dialogo tra Francesca e Roberto e scegli le funzioni delle* 21
parole sottolineate, come nell'esempio. Aiutati ascoltando la conversazione.

Roberto: Abbiamo comprato tutta una camera da letto, nuova.
Francesca: Ah, belliss(imo)... **sì (1)**, me l'aveva, me l'aveva accennato. Bellissimo!
Roberto: **Eh, sì, sì, (2)** abbiamo... l'abbiamo comprata, finalmente.
Insomma, abbastanza grande.
Francesca: È già arrivata?
Roberto: **No, no (3)**, arriva... sabato, **sì (4)**, sabato verso le due, le tre del pomeriggio.
Francesca: Perfetto... **no perché (5)** all'inizio mi aveva parlato del fatto che volevate
comprare un grande armadio quattro stagioni...
Roberto: Eh, **no, no, ma (6)** l'abbiamo comprato. Infatti l'abbiamo comprato.
Francesca: Quindi tutti gli altri mobili, che cosa fate?
Roberto: **Sì, sì (7)**, li vendiamo.

a. Si usa quando voglio evidenziare che già conosco il fatto di cui sta parlando l'altra persona.	*1*
b. Si usa quando voglio confermare un'ipotesi dell'altra persona, anche se non espressa.	___
c. Si usa quando voglio rispondere in modo negativo e ad una domanda esplicita.	___
d. Si usa quando voglio confermare la gioia dell'altra persona e riprendere la parola per continuare a parlare.	___
e. Si usa quando voglio confermare un'informazione che ho dato senza troppa sicurezza.	___
f. Si usa quando voglio introdurre qualcosa di differente da quello che si aspetta l'altra persona.	___
g. Si usa quando voglio comunicare all'altra persona che la cosa che ha detto non è sbagliata.	___

Ci vuole orecchio • Alma Edizioni

1 *Ascolta la conversazione. Dove sono le persone che parlano?*

○ **a.** In un negozio di scarpe.

○ **b.** Al bar.

○ **c.** In un negozio di abbigliamento.

○ **e.** In profumeria.

○ **d.** In un negozio di bigiotteria.

○ **f.** In un negozio di alimentari.

○ **g.** In libreria.

2 *Ascolta la conversazione. Sei ancora della stessa opinione del punto 1?*

3 *Che cosa vuole comprare la cliente?*
Ascolta di nuovo la conversazione e scegli tra gli oggetti della lista.

○ **a.** Un maglione molto colorato
e lavorato.
○ **b.** Un vaso di ceramica fatto
a mano.
○ **c.** Un orologio da tasca.
○ **d.** Una cornice artigianale
fatta con vetro colorato.
○ **e.** Una lampada realizzata
con la tecnica Tiffany.
○ **f.** Un anello artigianale
fatto di argento e vetro.
○ **g.** Una collana di pietre
e argento.

4 *Ascolta ancora la conversazione e decidi se le informazioni sono vere (V) o false (F).*

	V	F
a. La cliente cerca un colore diverso.		
b. La negoziante realizza a mano tutti gli oggetti che vende.		
c. La cliente chiede uno sconto.		
d. I gioielli sono tutti in argento e vetro colorato.		
e. L'artigiana compra le lastre di vetro che poi taglia e lavora.		
f. Tutti i gioielli sono fatti con il nichel.		
g. La cliente compra due anelli.		

5 *Ascolta tutte le volte che è necessario e completa la conversazione. Quando non riesci più ad andare avanti vai al punto 6.*

1. Negoziante: Questi ⟨_____⟩

⟨_____⟩

⟨_____⟩ la parte qui.

2. Cliente: La ⟨_____⟩ di ⟨_____⟩ .

3. Negoziante: Si, ⟨_____⟩

4. Cliente: La base?

5. Negoziante: Esatto, è un adattamento, ⟨_____⟩

⟨_____⟩ bene.

6 *Completa la trascrizione dello scambio di battute tra la cliente e la negoziante del punto 5 inserendo al posto giusto le parole qui sotto.*

1. Negoziante: per / ci metto / un / di più / perché / lavorare / vengono / proprio / un sacco di / pochino / tempo

2. Cliente: sopra / parte

3. Negoziante: è / adattamento / questo / un

5. Negoziante: sua / per esempio / come / questo / andar / la / misura / una / potrebbe / per / piccola

7 *Nel testo del dialogo che hai ricostruito al punto 5 ci sono espressioni molto usate nella lingua parlata. Scrivile accanto ai sinonimi. Sono in ordine.*

1. hanno un prezzo più alto ⟨_____⟩

2. questo lavoro mi prende molto tempo ⟨_____⟩

3. forse questa è la misura giusta ⟨_____⟩

8 *Completa le frasi della negoziante con i pronomi opportuni, in base all'indicazione.* 23
Poi ascolta la conversazione e verifica.

Sì, veramente (_____) realizzo io. **gli anelli**

i colori

Sì, esattamente. Io poi (_____) taglio e (_____) lavoro.

Il nichel ormai non (_____) trova più da nessuna parte.

il nichel

Certo. Questi sono per (_____) più lavorati proprio per la base... adattata, vede?

la negoziante

Questo arriva proprio così, questo vetro... io (_____) taglio... (_____) compro proprio così, a lastre.

il vetro

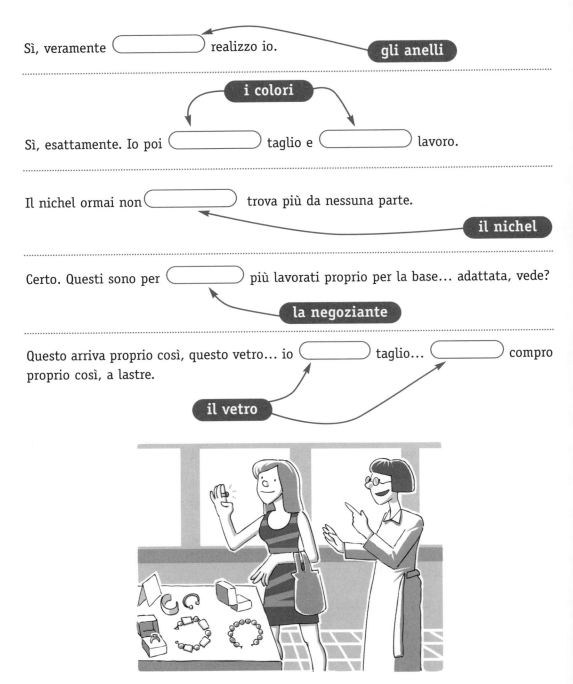

Ci vuole orecchio • Alma Edizioni

8 Lavori di casa •

1 *Con chi parla Marta? Ascolta la conversazione e scegli la risposta corretta.*

○ **a.** Con la mamma.   ○ **b.** Con il fidanzato.
○ **c.** Con la donna delle pulizie.   ○ **d.** Con il figlio.

2 *Ascolta la conversazione completa. Sei ancora della stessa opinione del punto 1?* 26

3 *Collega le azioni della lista alle immagini.*

①

⑪

⑩

②

⑨

③

⑧

a. spolverare
b. lavare i piatti
c. rifare i letti
d. stirare
e. lavare i pavimenti
f. spazzare
g. cucinare
h. cucire
i. pulire il giardino
l. mettere in ordine
m. pulire il lavello

④  ⑤  ⑥  ⑦

4 *Ascolta di nuovo la conversazione e scegli nella lista precedente gli argomenti trattati.* 26

> > > > > >

5 | *Ascolta e seleziona la risposta corretta.* 26

	Marta		Teo	
a. Pulisce il lavello?	Sì No Non si sa	○ ○ ○	Sì No Non si sa	○ ○ ○
b. Pulisce il giardino?	Sì No Non si sa	○ ○ ○	Sì No Non si sa	○ ○ ○
c. Apparecchia la tavola?	Sì No Non si sa	○ ○ ○	Sì No Non si sa	○ ○ ○
d. Prepara da mangiare?	Sì No Non si sa	○ ○ ○	Sì No Non si sa	○ ○ ○
e. Prepara la colazione?	Sì No Non si sa	○ ○ ○	Sì No Non si sa	○ ○ ○
f. Pulisce la tavola?	Sì No Non si sa	○ ○ ○	Sì No Non si sa	○ ○ ○

Ci vuole orecchio • Alma Edizioni

6 *Ascolta ancora la conversazione completa e collega le espressioni di tempo alle situazioni descritte, come nell'esempio.* 26

a. Marta potrebbe insegnare a Teo a stirare.
b. Marta torna dal lavoro.
c. Marta cucina la cena.
d. Teo stira.
e. Teo è stanco.
f. Marta e Teo fanno colazione insieme.
g. Marta dice a Teo che è bravo a pulire.
h. Marta ringrazia Teo per quello che fa.
i. Teo pulisce il giardino.

1. per la prima volta
2. sempre
3. una domenica mattina
4. alle otto della sera
5. la sera
6. tutte le mattine
7. mai
8. sempre
9. non poche volte

> a.　> b. 4 > c.　> d.　> e.　> f.　> g.　> h.　> i.

7 *Completa la conversazione con le parole della lista, poi ascolta e verifica.* 27

io　　io　　lo　　lo　　me　　mi　　mi　　si　　ti　　ti

Teo: Son stanco anch'◯ la sera. Sai, a ◯ non è che piace cucinare, lo sai questo. ◯ faccio tutto, preferisco fare tutto il resto...

Marta: Ho capito, però è anche...

Teo: Pulisco ◯, se vuoi, non... stare ai fornelli non ◯ piace, ◯ sai.

Marta: Ho capito, però è anche una questione di priorità. Eh... se vuoi aiutar◯, in certe condizioni, quando uno alle otto, otto e mezza arriva, ◯ sai che la prima cosa che vorrebbe è rilassar◯, vedere magari... semplicemente, anche, guarda, soltanto la tavola pronta, non ◯chiedo altro.

8 *Scegli, tra i pronomi <u>sottolineati</u>, quelli che si riferiscono a Marta o a Teo e collegali*
alle immagini, come nell'esempio. Se necessario aiutati ascoltando la conversazione. 27

Teo: Son stanco anch'(*io*) la sera. Sai, a <u>me</u> non è che piace cucinare, lo sai questo. <u>Ti</u> faccio tutto, preferisco fare tutto il resto... pulisco <u>io</u>, se vuoi, non... stare ai fornelli non <u>mi</u> piace, lo sai.

Marta: Ho capito, però è anche una questione di priorità. Eh... se vuoi aiutar<u>mi</u>, in certe condizioni, quando uno alle otto, otto e mezza arriva, lo sai che la prima cosa che vorrebbe è rilassar<u>si</u>, vedere, magari... semplicemente, anche, guarda, soltanto la tavola pronta, non <u>ti</u> chiedo altro.

9 *Completa la tabella con i pronomi sottolineati nella conversazione precedente.*

Pronomi soggetto	Pronomi oggetto diretto	Pronomi oggetto indiretto	Pronomi riflessivi	Pronomi dopo preposizione
____	____	____	mi	____
tu	ti	____	ti	te
lui (m)	____	gli	____	lui
lei (f)	la	le	si	lei
noi	ci	ci	ci	noi
voi	vi	vi	vi	voi
loro (m)	li	gli/loro	si	loro
loro (f)	le	gli	si	loro

10 *Ascolta la conversazione e completa con le espressioni della lista.*

28

va be'   poi   diciamo la verità   però

certo   comunque   cioè   sicuramente

Marta: L'ho riconosciuto. Te lo dico sempre, ⟨_____⟩,
che... io non so pulire come pulisci te, quando ti metti. Quando ti metti Teo,
perché, ⟨_____⟩, in giardino quante volte ci sarai stato?

Teo: Non ⟨_____⟩ poche, a pulire tutto quanto fuori.

Marta: ⟨_____⟩, chi lo fa prima, ⟨_____⟩ chi lo fa di più son
⟨_____⟩ io. ⟨_____⟩ quando lo fai tu, cambia
completamente aspetto, per carità, ⟨_____⟩ ci son le foglie
secche per esempio...

11 *Adesso scrivi le espressioni che hai inserito al punto **10** accanto al sinonimo corrispondente.*

a. OK ⟨_____⟩   **b.** siamo sinceri ⟨_____⟩

c. dopo ⟨_____⟩   **d.** indubbiamente ⟨_____⟩

e. in ogni caso ⟨_____⟩   **f.** voglio dire ⟨_____⟩

g. ma ⟨_____⟩

1 *Cos'è San Lorenzo? Ascolta la conversazione e rispondi.*

○ **a.** Una discoteca.

○ **b.** Un centro commerciale.

○ **c.** Un quartiere di Roma.

○ **d.** Una chiesa.

2 *Ascolta la conversazione completa e scegli il titolo più appropriato.*

○ **a.** Due ragazze dai gusti molto differenti.

○ **b.** Equivoco: non è lo stesso quartiere!

○ **c.** San Lorenzo e Testaccio: due quartieri caotici.

3 *Guarda questa pubblicità del quartiere di San Lorenzo.*
Ascolta la conversazione e trova, tra le parole <u>sottolineate</u>, le tre caratteristiche
che non fanno parte del quartiere.

Vieni a San Lorenzo!
È il quartiere più
<u>divertente</u> di tutta
Roma!

Qui puoi vivere
un'intensa <u>vita</u> <u>notturna</u>: ci sono
<u>locali</u> aperti 24 ore su
24, <u>ristoranti</u> per tutti i
gusti, se preferisci
stare all'aperto, puoi
passare la serata a
chiacchierare nella
bellissima <u>Piazza
dell'Immacolata</u>,
lungo il <u>fiume Tevere</u>.
San Lorenzo è un
quartiere <u>giovane</u>, ma
è anche un quartiere
culturale.
Puoi visitare uno dei tanti <u>musei</u> della zona
o puoi andare in
<u>discoteca</u> e, se ti
piace il <u>cinema</u>, vieni
al Tibur a vedere i film
più famosi del
momento!

4 *Chiara e Euridice parlano di un quartiere. Indica quali sono le caratteristiche del quartiere secondo loro.*

Secondo Chiara	Secondo Euridice
○ **a.** C'è troppa confusione.	○ **a.** È divertente.
○ **b.** Non ci sono discoteche.	○ **b.** Non si può entrare con la macchina.
○ **c.** Non c'è parcheggio.	○ **c.** Si può stare fuori all'aperto.
○ **d.** Ci sono troppi ristoranti.	○ **d.** Si può mangiare qualsiasi tipo di cucina.
○ **e.** C'è troppa gente.	○ **e.** Ci sono molti studenti.
○ **f.** Ci sono troppi motorini.	○ **f.** Ci sono molti locali per bere qualcosa.
○ **g.** Non c'è il cinema.	○ **g.** Non ci sono persone noiose.
○ **h.** Non è possibile rilassarsi.	○ **h.** Non ci sono discoteche.

5 *Scegli la forma corretta del passato prossimo, poi ascolta e verifica.*

Euridice: Si sta bene!

Chiara: No, secondo me, no. Io ci **sono venuta/ho venuto/sono venuto** due volte, e entrambe le volte **è stato/ha stato/è stata** un incubo trovare parcheggio e... e dopo quelle due volte **sono detto/sono detta/ho detto**: "No!".

6 *Osserva le due battute tra Chiara ed Euridice del punto **5** e completa la regola sul passato prossimo inserendo negli esempi i verbi **essere** o **avere**.*

Il passato prossimo

Il **passato prossimo** si forma con il verbo **essere** o **avere** al presente + il participio passato.

1. Generalmente si usa il verbo **essere** con i verbi che indicano movimento, trasformazione o stato.

Esempio: *Il mese scorso (io) ⟨＿＿＿⟩ andato al mare.*

Esempio: *Mario ⟨＿＿＿⟩ diventato un bravissimo musicista.*

Quando si usa il verbo **essere** si deve cambiare l'ultima lettera del participio passato. Se il soggetto della frase è maschile singolare, l'ultima lettera è una **-o** (plurale **-i**). Se il soggetto è femminile singolare, l'ultima lettera è una **-a** (plurale **-e**).

Esempio: *Nadia ⟨＿＿＿⟩ uscita molto presto questa mattina.*

Esempio: *Giorgio e Paolo ⟨＿＿＿⟩ andati al cinema.*

2. Per gli altri casi, si usa solitamente il verbo **avere**.

Esempio: *Giulia ⟨＿＿＿⟩ parlato al telefono con un'amica per 30 minuti.*

Quando si usa il verbo **avere** non si cambia il participio passato.

Esempio: *Carla e Barbara ⟨＿＿＿⟩ organizzato una bella festa.*

7 *Scrivi al posto giusto nella tabella le espressioni della battuta di Chiara.*

No, secondo me, no. Io ci sono venuta due volte e entrambe le volte è stato un incubo trovare parcheggio e... e dopo quelle due volte ho detto: "No!".

1. Espressione che introduce un'opinione personale	2. Espressione che significa "terribile"	3. Espressione che significa "ho deciso di non tornare più"
⟨＿＿⟩ ⟨＿＿⟩	⟨＿＿⟩ ⟨＿＿⟩	⟨＿＿⟩ ⟨＿＿⟩

8 *Ascolta e abbina ad ogni battuta la faccina che ti sembra corrispondente all'intonazione, come nell'esempio. Inserisci anche, alla fine di ogni battuta, i segni di punteggiatura della lista.*

1. Chiara: Ma poi ieri cosa avete fatto

a

2. Euridice: Ieri siamo andati a bere una cosa in un locale a San Lorenzo

b

3. Chiara: San Lorenzo

c

4. Euridice: Mmm, mmm

d

5. Chiara: Tutti a San Lorenzo andate.
Io non capisco proprio perché

e

6. Euridice: Come "tutti a San Lorenzo"?
È uno dei quartieri più divertenti di Roma

f

7. Chiara: Divertenti

g

8. Euridice: Eh

h

10 Una ricetta tipica ●

1 *Ascolta la conversazione. Secondo te che cosa sono i "bigoli mori"?*

  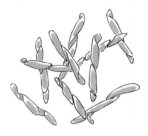

○ **a.** Una pasta lunga, di colore scuro e fatta in casa.

○ **b.** Una pasta lunga e di colore chiaro come gli spaghetti.

○ **c.** Una pasta corta, di colore scuro e fatta in casa.

2 *Collega i disegni degli ingredienti ai loro nomi, come nell'esempio.*

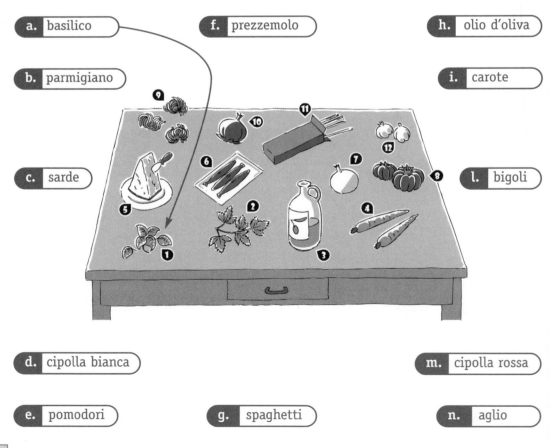

a. basilico

f. prezzemolo

h. olio d'oliva

b. parmigiano

i. carote

c. sarde

l. bigoli

d. cipolla bianca

m. cipolla rossa

e. pomodori

g. spaghetti

n. aglio

Ci vuole orecchio ● Alma Edizioni

3 Quali ingredienti nomina Renata per fare i **Bigoli in salsa**? Scegli gli ingredienti
tra quelli rappresentati nelle immagini dell'esercizio precedente e scrivili qui sotto.

(⬭)　(⬭)　(⬭)　(⬭)

4 Ascolta ancora la conversazione e ricostruisci la ricetta di Renata.

- ○ **a.** Lessa i bigoli.
- ○ **b.** Taglia molta cipolla bianca a fette sottili.
- ○ **c.** Taglia uno spicchio di aglio a pezzetti.
- ○ **d.** Cuoci la cipolla in olio abbondante.
- ○ **e.** Sciacqua le sarde ed elimina il sale.
- ○ **f.** Aggiungi le sarde pulite alla cipolla.
- ○ **g.** Aggiungi l'aglio alla pasta.
- ○ **h.** Fai cuocere le sarde con la cipolla fino a quando si sciolgono.
- ○ **i.** Aggiungi alle sarde un po' d'acqua della pasta.

5 Queste sono tre ricette dei **Bigoli in salsa**. Quale è più vicina alla versione di
Renata? Se necessario ascolta ancora la conversazione.

Bigoli in salsa 1

2 cipolle
olio extravergine di oliva
sarde salate o sott'olio
sale
bigoli mori

Taglia a fette sottili le cipolle e mettile a cuocere con l'olio. Quando le cipolle sono dorate aggiungi un po' d'acqua della pasta e cuoci a fiamma bassa per una ventina di minuti. Nel frattempo cuoci i bigoli in abbondante acqua salata. Mentre cuoci la pasta, prendi le sarde, puliscile e togli il sale. Quando la pasta è pronta, scolala e versala in una zuppiera. Unisci le sarde, schiacciandole con la forchetta, e la salsa di cipolla mescolando bene.

Bigoli in salsa 2

2 cipolle
olio extravergine di oliva
sarde salate o sott'olio
sale
bigoli mori

Prendi le sarde, puliscile e togli il sale. Poi taglia le cipolle a fette sottili. Metti a rosolare le sarde insieme alla cipolla nell'olio fino a quando diventano bionde. Nel frattempo metti a bollire l'acqua, con un po' di sale e lessa i bigoli. Aggiungi nell'acqua della pasta anche una sarda sott'olio. Scola la pasta e unisci la salsa mescolando bene.

Bigoli in salsa 3

1 cipolla
olio extravergine di oliva
sarde salate o sott'olio
sale
bigoli mori

Taglia la cipolla a fette sottilissime e cuocila a fuoco lento in olio abbondante fino a quando diventa bionda. Aggiungi un po' di acqua di cottura della pasta, poi prendi le sarde, togli il sale e falle sciogliere nella salsa di cipolle. Nel frattempo lessa i bigoli mori in abbondante acqua salata. Scola la pasta al dente e unisci la salsa mescolando bene.

6 *Un po' di grammatica. Trova, tra i verbi <u>sottolineati</u> nella ricetta, quelli all'**imperativo informale**, come nell'esempio. Poi scegli la risposta alla domanda.*

☒ ***Taglia*** la cipolla a fette sottilissime e ○ <u>cuocila</u> a fuoco lento in olio abbondante fino a quando ○ <u>diventa</u> bionda. ○ <u>Aggiungi</u> un po' di acqua di cottura della pasta, poi ○ <u>prendi</u> le sarde, ○ <u>togli</u> il sale e ○ <u>falle</u> sciogliere nella salsa di cipolle. Nel frattempo ○ <u>lessa</u> i bigoli mori in abbondante acqua salata. ○ <u>Scola</u> la pasta cotta al dente e ○ <u>unisci</u> la salsa ○ <u>mescolando</u> bene.

Quando c'è un verbo all'imperativo informale, dove si mette il pronome?

○ **a.** Attaccato prima del verbo
○ **b.** Da solo, prima del verbo.
○ **c.** Da solo, dopo il verbo.
○ **d.** Attaccato alla fine del verbo.

} esempi del testo: ◯⎯⎯⎯◯ - ◯⎯⎯⎯◯

7 *Ascolta e inserisci negli spazi le parole mancanti.*

34

Renata: Dopo si deve prendere della cipolla bianca e tagliarla ⬭ ⬭ ⬭ ⬭ e farla...

Grazia: Le quantità?

Renata: Mah... io faccio ⬭ ⬭ , ma insomma... tanta!

Grazia: Ah proprio ⬭ ⬭ ?

Renata: Beh sì.

Grazia: Una cipolla intera grande o una piccola o...?

Renata: Una cipolla grande, sì. Una grande, la tagli fina fina e la ⬭ ⬭ con l'olio finché diventa un pochino ⬭ e poi dopo ci fai sciogliere le sarde, io ci aggiungo per farla un po' morbida anche ⬭ ⬭ di acqua di cottura...

Grazia: Della pasta.

Renata: ...della pasta, no? Perché ⬭ ⬭ rischia di asciugarsi un po'.

8 *Inserisci le espressioni che hai trovato al punto* **7** *accanto ai loro significati.*

a. di colore dorato ⬭

b. una grande quantità ⬭

c. altrimenti ⬭

d. fai cuocere ⬭

e. una piccola quantità ⬭

f. in modo approssimativo ⬭

g. molto sottile ⬭

11 Nuovi mestieri •

1 *In questa unità ascolterai un'intervista al signor Sergio Guastini, che ha inventato un nuovo lavoro: il* **Raccontalibri**. *Secondo te, cos'è un* **Raccontalibri**?

○ **a.** È un libraio che parla di come diffondere l'amore per la lettura.

○ **b.** È un attore che racconta di come legge e recita storie nei teatri.

○ **c.** È uno scrittore che riflette su come incentivare la vendita dei libri.

2 *Ascolta l'intervista. Sei ancora della stessa opinione del punto* **1**?

○ Sì   ○ No

3 *Leggi le tre descrizioni e indica quale, secondo te, è quella del* **Raccontalibri**. *Poi ascolta l'intervista completa e verifica.*

● a	● b	● c
Personaggio che si sposta di città in città e di piazza in piazza raccontando storie, favole o fatti con l'aiuto della musica e spesso di un cartellone dove sono raffigurate le scene più importanti del racconto.	Personaggio che si sposta di città in città e racconta storie, a casa o a scuola, a bambini. Di solito arriva con una valigia piena di libri di ferro, di stoffa, di plastica e di legno, che parlano di storie di ogni tipo e di ogni luogo.	Personaggio della tradizione orale che si sposta nei villaggi cantando le storie di famiglie famose e delle comunità del passato.

Ci vuole orecchio • Alma Edizioni

4 *Ascolta ancora l'intervista e rispondi alle domande.*

> **1.** Secondo Sergio Guastini, quali sono i posti migliori per leggere?

○ **a.** I posti dove si legge di solito come biblioteche, librerie, ecc.
○ **b.** A casa oppure in riva al mare o in crociera, quando si è più rilassati e tranquilli.
○ **c.** I posti non abituali come ospedali, treni, barche, ecc.

> **2.** Come si fa per ascoltare il **Raccontalibri**?

○ **a.** Bisogna andare in libreria e comprare il cd di Sergio Guastini.
○ **b.** Bisogna controllare sul sito internet le date del suo tour in Italia.
○ **c.** Bisogna telefonare alla "Libreria dei ragazzi" di Sarzana per prendere un appuntamento.

> **3.** A chi si rivolge il signor Sergio Guastini?

○ **a.** Agli adulti per raccontargli storie che non hanno tempo di leggere da soli.
○ **b.** Ai bambini per farli appassionare alla lettura.
○ **c.** Agli adulti e ai bambini per appassionarli alle storie che ama.

5 *Nella descrizione del signor Sergio Guastini, ci sono 7 informazioni sbagliate, trovale e correggile. Se necessario riascolta l'intervista.*

Un libraio, consapevole del problema delle favole dimenticate, ha avuto un'idea: fare il **Raccontalibri**. Il libraio si chiama Sergio Guastini, ha 50 anni, e da 10 anni gestisce una biblioteca per ragazzi sotto i 14 anni nel centro di Sarzana, una cittadina vicino Genova. Il signor Guastini, dalle 8.20 alle 9.20 di mattina, entra nelle case delle famiglie che lo chiamano, si piazza in salotto, davanti alla TV, ovviamente spenta e, nei panni di un moderno cantastorie, racconta e legge libri a piccoli gruppi di bambini.
Il progetto si chiama "Quarantasette libri in trentacinque minuti" perché Sergio Guastini, con la sua valigia piena di libri racconta veramente il contenuto dei suoi volumi in poco più di mezz'ora.
L'obiettivo di Sergio è quello di invogliare i ragazzi a leggere: una volta conosciuta la trama, possono appassionarsi davvero e leggere il libro che li ha colpiti. Coinvolgendo i bambini tra i 5 e i 10 anni sa benissimo, come lui stesso afferma, che il virus della lettura è contagioso perché una volta contagiati i bambini saranno i lettori di domani.
L'idea ha avuto un grande successo nel periodo di Natale ed è diventata parte di un laboratorio che il libraio propone anche a scuole, biblioteche e associazioni. Oggi il Raccontalibri può essere richiesto in tutto il Nord Italia; per "affittare" il Raccontalibri bisogna scrivere alla "Libreria dei Ragazzi" di Sarzana e prenotare una serata con lui.

6 *In questa filastrocca che descrive il **Raccontalibri** mancano le rime. Mettile al posto giusto.*

Ha viaggiato per mare e per ⬭,

cercando libri in Africa, in Perù e in ⬭.

Indossa un tight e una bombetta in ⬭

e ha una valigia che apre su ⬭:

all'interno libri di stoffa, di plastica, di ⬭

e pensa che anche in ferro esiston pagine con ⬭.

Verrà su richiesta, basta stabilire il dì.

A raccontar storie di streghe, draghi e ⬭!

Busserà alla tua porta, lui è Sergio ⬭,

il Raccontalibri al servizio dei ⬭.

bambini **disegno** **colibrì** **legno** **richiesta** **testa** **terra** **Guastini** **Inghilterra**

7 *Un po' di grammatica. Trasforma le domande della giornalista dall'informale al* 36 🔊
formale. Poi ascolta ancora l'intervista e verifica.
Se necessario consulta il box **Formale o informale?**

> ## Formale o informale?
>
> Per rivolgersi a una persona in italiano:
> - in una situazione **informale** si usa il pronome di seconda persona singolare: **tu.**
>   **Esempio:** *Come **ti** chiami?; E **tu** che lavoro fai?*
>
> - Nelle situazioni **formali** si usa il pronome di terza persona singolare femminile: **Lei.**
> Anche quando l'altra persona è di sesso maschile.
>   **Esempio:** *Come **si** chiama? **Lei**, signore, che lavoro fa?*

1. Intanto quanti anni hai? Scusami, ma te lo devo chiedere, eh?

2. E tu racconti una storia come la racconterebbe un bambino...

3. Cioè, tu ti sposti, vai in giro.

4. Tu sei un libraio, questo è il tuo primo mestiere, è vero? A Sarzana, quindi siamo vicino La Spezia...

5. E quando hai iniziato questa tua attività?

6. E ti capitava già di leggere magari i libri, delle storie per... i ragazzi, i bambini che entravano nel tuo negozio?

7. Ma come si fa a entrare in contatto con te? Io sono a Roma, come faccio ad averti a casa mia a leggere una storia a mia figlia, una sera?

8. Li metti pure a letto, poi, i bambini?

12 Ricordi di scuola ●

1 *Conosci la scuola italiana? Abbina le informazioni al riquadro giusto.*

○ **a.** si chiama anche "scuola media"

○ **b.** dura 3 anni e gli insegnanti
si chiamano "professori"

○ **c.** si chiama anche "scuola elementare"

1. Scuola primaria

○ **d.** comincia a 5/6 anni

○ **e.** comincia a 13/14 anni

○ **f.** gli insegnanti si chiamano "maestri"

2. Scuola secondaria di primo grado

○ **g.** si chiama anche "scuola superiore"

○ **h.** dura 5 anni e gli insegnanti
si chiamano "professori"

○ **i.** comincia a 10/11 anni

3. Scuola secondaria di secondo grado

2 *Ascolta la prima frase del racconto di Simona. Secondo te a quale scuola del punto 1 si riferisce?*

37

○ **1.**   ○ **2.**   ○ **3.**

3 Ascolta il racconto completo, verifica il punto **2** e scegli il titolo che ti sembra più appropriato.

○ **a.** Storia di una professoressa cattiva e di una bambina senza il fazzoletto.
○ **b.** Storia di una maestra rigida e di una bambina con il fazzoletto in tasca.
○ **c.** Storia di una maestra buona e di una ragazza con il fazzoletto nel cappotto.

4 Ascolta ancora il racconto di Simona e scegli la sequenza giusta.

1.

2.

3.

5 *Ricostruisci le frasi del racconto di Simona con le preposizioni, come nell'esempio.*

(Andare)		scuola
(Mettere) **le mani** ————————→ in ——————→		tasca
(Lasciare) **il fazzoletto**		cappotto
(Uscire)	a	porta
(Sperare che)	nel	frattempo
(Avere) **il fazzoletto**	dalla	un punto
(Andare)		tempo

6 *Riascolta il racconto e completa il riassunto della storia con le espressioni della lista.* 38

> nel cappotto · in un punto · a scuola · a posto
> le mani in tasca · nel frattempo · dalla porta

Quando andava ⟨_____⟩ Simona aveva una maestra molto severa.
Un giorno la maestra chiama Simona, perché ha il naso sporco e le chiede se ha il fazzoletto. Simona mette ⟨_____⟩ ma non lo trova. Forse ha lasciato il fazzoletto ⟨_____⟩ e Simona esce ⟨_____⟩ per prenderlo, ma non lo trova. Allora rientra in classe e spera che la maestra, ⟨_____⟩, si sia dimenticata. Quando entra, la maestra le chiede un'altra volta se ha il fazzoletto e Simona, preoccupata, dice di sì. Mette di nuovo le mani in tasca e incredibilmente trova il fazzoletto ⟨_____⟩ della tasca e lo fa vedere alla maestra. Finalmente la maestra dice a Simona di andare ⟨_____⟩.

7 *Ascolta il brano audio e completa il testo. Ascoltalo tutte le volte necessarie.*
Per ogni parola da inserire hai la lettera iniziale. 39

Cioè io non so dove ho trovato ⟨l___⟩ ⟨f___⟩, ⟨m___⟩ ⟨m___⟩
⟨s___⟩ ⟨r___⟩ ⟨l___⟩ ⟨m___⟩ ⟨i___⟩ ⟨t___⟩
⟨a___⟩ ⟨m___⟩ ⟨g___⟩ e miracolosamente ⟨i___⟩ ⟨h___⟩
⟨t___⟩ ⟨i___⟩ ⟨f___⟩ ⟨t___⟩ ⟨a___⟩ ⟨i___⟩ ⟨u___⟩
⟨p___⟩ ⟨d___⟩ ⟨m___⟩ ⟨t___⟩ e prendo su 'sto fazzolettino che
in condiz… le condizioni non so come fossero… però ho detto: ⟨"E___⟩."
"Ah, ⟨v___⟩ ⟨b___⟩, ⟨v___⟩ a ⟨p___⟩". E così è finita.

Il passato prossimo e l'imperfetto

Il **passato prossimo** e l'**imperfetto** sono tempi passati dell'indicativo.

Il **passato prossimo** indica:
- un fatto concluso nel passato.

Esempio: *Ieri **mi sono raffreddato**.*

Esempio: *Luigi **ha imparato** l'inglese durante un viaggio in Inghilterra.*

- In un racconto, le azioni, i fatti che si susseguono.

Esempio: *Marta **si è alzata**, **si è preparata**, **ha preso** l'autobus ed **è andata** al lavoro.*

L'**imperfetto** viene usato per:
- le descrizioni di luoghi, persone, stati.

Esempio: *Mia zia **era** molto giovane e **viveva** con mia nonna quando si è sposata.*

- Indicare abitudini.

Esempio: *Mauro **andava** tutti i giorni a scuola.*

- Introdurre due azioni contemporanee nel passato.

Esempio: *Tu **ascoltavi** la radio e io **leggevo** un libro.*

---

8 | *Scegli tra passato prossimo e imperfetto. Poi ascolta e verifica.*

Simona: Quando **sono andata/andavo** a scuola, **avevo/ho avuto** questa maestra molto rigida. Una volta **ho avuto/avevo** questa... avevo il naso sporco e lei, che **aveva/ha avuto** quest'abitudine un po' di umiliare i bambini, mi **ha fatto/faceva** alzare, mi **ha detto/diceva**: "Ma... ce l'hai il fazzoletto?".
E io **capivo/ho capito** che **avevo/ho avuto** il naso sporco e le **ho detto/dicevo** che ce l'avevo, no?
Dice: "Allora prendilo". Metto le mani in tasca e non trovo il fazzoletto. Sicché le dico: "**Lo lasciavo/L'ho lasciato** fuori nel cappotto." Perché i cappotti **erano/sono stati** appesi fuori dalla classe. E lei **diceva/ha detto**: "Allora vallo a prendere." Piano, piano, io **sono stata/ero** timidissima tra l'altro, una bambina, proprio...

Amico: Cattiva questa!

Simona: Sì, sì, molto rigida. Esco dalla porta e vado a cercare il fazzoletto con la speranza di trovarlo e il fazzoletto non **c'era/c'è stato**.

1. Un telegramma

1. 1/e, 2/b, 3/d, 4/a, 5/c.
2. 3.
3. *a*/5, b/6, c/1, d/7, e/9, f/8, g/3, h/2, i/4.
4. bolletta telefonica, pacco, lettera.
5. a/mittente, b/destinatario.
6. **C** come Cremona; **E** come Empoli; **I** come Imola; **O** come Otranto; **R** come Roma.
7. **Mittente** - Nome e Cognome: Mauro De Barberis, Indirizzo: Via dei Banchi Nuovi, 12, CAP: 00186, Città: Roma, **Destinatario** - Nome e Cognome: Dott.ssa Graziella Bongiorno, Indirizzo: Via Oceri, 32, CAP: 98060, Città: Piraino, Provincia: Messina, **Testo:** Auguri vivissimi per una lunga vita felice insieme, Firma: Zio Mauro e famiglia.
8. a/2; b/1; c/1; d/3; e/2; f/1.

2. Ho cinque anni

1. a/1, b/9, c/10, d/7, e/2, f/3, g/8, h/5, i/6, l/4.
2. maestra/XXXX; scuola/XXXXX; banco/ - ; penna/ - ; compagni/X; sedie/X; lavagna/XX; colore/XXX; quaderno/X; matita/ - ; lettera/XX; numero/ - ; storia/X.
3. *Gioiosa Marea* / elementare / 14/ grande / ha studiato / rosso, blu, viola, verde e nero / quaderno / piacciono / colorato / 3 / 6.
4. 1. quanti/d; 2. che/b; 3. quale/e; 4. quanti/f; 5. Come/g; 6. Cosa/a; 7. Dove/c.
5. dolce, lisci, castani, primo, stesse, colorati, sua, diversi, arancione, piccola, sorpresa.
6. *Una risposta possibile è:* Fernanda ha sei anni, ha i capelli biondi, è alta ed è sempre stanca.
7. **Secondo Mattia:** gialli; **Secondo la mamma di Mattia:** biondi.
9. 1/e; 2/h; 3/g; 4/l; 5/a; 6/c; 7/i; 8/d; 9/f; 10/b.

3. Un incontro

2. a/V; b/F; c/F; d/F.
3. Si trovano a Venezia.
4. a/1; b/2; c/3; d/3.
6. a/2; b/4; c/5; d/1; e/3.
7. porta, alla, superi, Passi, arrivi, a, giri, a, Prosegui, su, arrivi, a, al, giri, a.
8. *girare*/Sì = a; proseguire/No; arrivare/Sì = a; passare/No; portare/Sì = a; superare/No.

9. Ponte, Fondamenta, giri, Prosegui, Campo, arrivi, Passi, Calle, porta.
5.

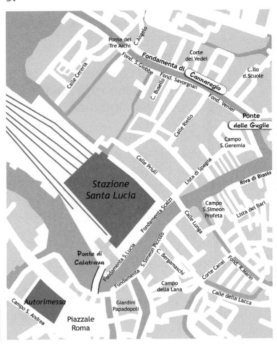

4. Buongiorno!

1. c.
3. c.
4. 3. Villa Borghese, 4. Villa Doria Pamphili.
5. b, c, f, g, l, m, n.
6. 1/i; 2/h; 3/a; 4/l; 5/f; 6/b; 7/e; 8/d, g, m; 9/c.
7. 1. nuova, questo, prossime, splendida, musicale; 2. questa, splendida; 3. cattivo, questo; 4. meraviglioso; 5. cittadini; 6. stupendo, remoti; 7. meravigliosa, unica.
8. *C'è lo spazio per fare **praticamente** di tutto e questo **spazio** dovete prendervelo. Uscite di casa, andate a spasso per i **parchi** meravigliosi: Villa Borghese, Villa Pamphili sono a vostra disposizione. E poi divertitevi andando in giro anche in bicicletta per questa città che ogni **tanto** lo permette, soprattutto nei **giorni** di festa.*
9. *Le espressioni impossibili sono:* 1/b; 2/a; 3/c; 4/b.

5. In viaggio

1. c.
2. c.
3. 4/9/1/2/10/3/8/5/6/7.
5. **Signora già seduta:** 1, 2, 3, 6, 8, 9; **Signora che arriva:** 1, 2, 4, 5, 7, 9.
6. b.
7. 1/a; 2/a; 3/b; 4/b.
8. **Signora già seduta:** *Io guardi, adesso stavo facendo* **un lavoro, non ho** *intenzione di* **alzarmi, sono anche molto** *stanca...*
Signora che arriva: *Signora,* **per favore, io sono così gentile,** *glielo* **sto chiedendo** *cortesemente,* **possiamo andare insieme,** *da sola* **non posso** *andare.*
10. stare, **-ENDO.**
11. a.
12. a, e, c, g, d, b, f.
13. **Espressione che introduce un disaccordo:** 1/c, 2/e, 3/g; **Espressione usata per confermare con forza:** 1/d, 2/f; **Espressione che introduce dubbio, possibilità:** 1/b; **Espressione usata per ricevere attenzione:** 1/a.

6. La casa

1. c/b/d/a.
2. d.
4. Francesca/a, Roberto/b.
5. a.
6. **Superficie:** 60 metri quadrati; **Zona:** periferia; **Bagno:** piccolo, con la doccia; **Cucina:** abitabile, ci si può mangiare in sette, otto persone; **Camera da letto:** abbastanza grande, poco luminosa, arredata con un letto matrimoniale, due comodini, una cassettiera abbastanza grande e un armadio quattro stagioni; **Soggiorno:** molto grande, con librerie, due piccole scrivanie, un divano.
7. sono, c'è, c'è, è, c'è, è, è, è, è, c'è, c'è, c'è, è, ci sono.
8. a/1, b/7, c/3, d/2, e/4, f/5, g/6.

7. Un negozio speciale

1. d.
3. f.
4. a/F, b/V, c/F, d/V, e/V, f/F, g/F.
5. 1. **Negoziante:** *Questi* **vengono un pochino**

di più proprio perché **ci metto un sacco di tempo per lavorare** *la parte qui;* 2. **Cliente:** *La parte di sopra;* 3. **Negoziante:** *Sì,* **questo è un adattamento;** 5. **Negoziante:** *Esatto, è un adattamento,* **per esempio per una misura piccola come la sua questo potrebbe andar** *bene.*
7. 1. vengono un pochino di più; 2. ci metto un sacco di tempo; 3. questo potrebbe andar bene.
8. li, li, li, lo, me, lo, lo.

8. Lavori di casa

1. b.
3. 1/g, 2/h, 3/m, 4/c, 5/l, 6/f, 7/a, 8/d, 9/b, 10/e, 11/i
4. b, d, g, i, l, m.
5. a. Marta/Non si sa, Teo/Sì; b. Marta/Sì, Teo/Sì; c. Marta/Sì, Teo/Sì; d. Marta/Sì, Teo/No; e. Marta/Non si sa, Teo/Sì; f. Marta/Non si sa, Teo/Sì.
6. a/3; *b/4;* c/2; d/1; e/5; f/6; g/8; h/7; i/9.
7. io, me, Ti, io, mi, lo, mi, lo, si, ti.
8. **Teo:** io/Teo, me/Teo, Ti/Marta, io/Teo, mi/Teo; **Marta:** aiutarmi/Marta, rilassarsi/Marta e Teo, ti/Teo.
9. *I pronomi che mancano nella tabella sono i seguenti:* **Pronomi soggetto** - io; **Pronomi oggetto diretto** - mi, lo; **Pronomi oggetto indiretto** - mi, ti; **Pronomi Riflessivi** - si; **Pronomi dopo preposizione** - me.
10. comunque, diciamo la verità, certo, Va be', cioè, sicuramente, Poi, però.
11. a/va be', b/diciamo la verità, c/poi, d/sicuramente, e/comunque, f/cioè, g/però.

9. San Lorenzo

1. c.
3. fiume Tevere, musei, discoteca.
4. **Secondo Chiara:** a, c, e, h; **Secondo Euridice:** a, c, d, e, f, h.
5. sono venuta, è stato, ho detto.
6. 1. sono, è, è, sono; 2. ha, hanno.
7. 1. secondo me; 2. un incubo; 3. ho detto "No!"
8. 1/h - Ma poi ieri cosa avete fatto?; 2/b – Ieri siamo andati a bere una cosa in un locale a San Lorenzo.; 3/c – San Lorenzo!?; 4/g – Mmm, mmm.; 5/a – Tutti a san Lorenzo andate. Io non

capisco proprio perché**!**; 6/d – Come "Tutti a San Lorenzo"? È uno dei quartieri più divertenti di Roma**!**; 7/e – Divertenti**!?**; 8/f – Eh**.**

10. Una ricetta tipica
1. a.
2. *a/1*, b/5, c/6, d/7, e/8, f/2, g/11, h/3, i/4, l/9, m/10, n/12.
3. sarde, cipolla bianca, bigoli, olio d'oliva.
4. a, b, d, e, f, h, i.
5. 3.
6. *Taglia*, cuocila, Aggiungi, prendi, togli, falle, lessa, Scola, unisci; d. cuocila, falle.
7. fina fina fina fina; a occhio; tanta tanta; fai andare; bionda; un pochino; se no.
8. a/bionda, b/tanta tanta, c/se no, d/ fai andare, e/un pochino, f/a occhio, g/fina fina fina fina.

11. Nuovi mestieri
3. b.
4. 1/c; 2/c; 3/b.
5. **Informazioni sbagliate: 50** anni; da **10** anni gestisce una **biblioteca**; una cittadina vicino **Genova**; dalle 8.20 alle 9.20 di **mattina**; Oggi il Raccontalibri può essere richiesto in **tutto il Nord** Italia; bisogna **scrivere** alla "Libreria dei ragazzi". **Informazioni corrette: 55** anni; da **25** anni gestisce una **libreria**; una cittadina vicino **La Spezia**; dalle 8.20 alle 9.20 di **sera**; Oggi il Raccontalibri può essere richiesto in **tutta** Italia; bisogna **telefonare** alla "Libreria dei ragazzi".
6. terra, Inghilterra, testa, richiesta, legno, disegno, colibrì, Guastini, bambini.
7. 1. Intanto quanti anni **ha**? **Mi scusi**, ma **glielo** devo chiedere, eh?; 2. E **Lei** racconta una storia come la racconterebbe un bambino; 3. Cioè, **Lei si** sposta, **va** in giro.; 4. **Lei è** un libraio, questo è il **suo** primo mestiere, è vero? A Sarzana, quindi siamo vicino La Spezia...; 5. E quando **ha** iniziato questa **sua** attività?; 6. E **le** capitava già di leggere magari i libri, delle storie per... i ragazzi, i bambini che entravano nel **suo** negozio?; 7. Ma come si fa ad entrare in contatto con **Lei**? Io sono a Roma, come faccio ad aver**la** a casa mia a leggere una storia a mia figlia, una sera?; 8. Li mett**e** pure a letto, poi, i bambini?

12. Ricordi di scuola
1. a/2, b/2, c/1, d/1, e/3, f/1, g/3, h/3, i/2.
2. 1.
3. b.
4. 1.
5. (Andare) a scuola, (*Mettere) le mani in tasca*, (Lasciare) il fazzoletto nel cappotto, (Uscire) dalla porta, (Sperare che) nel frattempo, (Avere) il fazzoletto in un punto, (Andare) a posto.
6. a scuola, le mani in tasca, nel cappotto, dalla porta, nel frattempo, in un punto, a posto.
7. *Cioè io non so dove ho trovato la forza, ma mi son rimessa le mani in tasca al mio grembiule e miracolosamente io ho trovato il fazzoletto tutto accartocciato in un punto della mia taschina e prendo su 'sto fazzolettino che in condiz... le condizioni non so come fossero... però ho detto: "Ecco." "Ah, va bene, vai a posto." E così è finita.*
8. andavo, avevo, avevo, aveva, ha fatto, ha detto, ho capito, avevo, ho detto, L'ho lasciato, erano, ha detto, ero, c'era.

Trascrizioni

1. Un telegramma

(□ operatore telefonico ● cliente)
□ Pronto? Servizio telegrammi.
● Sì, buongiorno. Senta, per cortesia, io dovrei inviare un telegramma...
□ Sì... se mi dice il suo nome per favore... nome e cognome.
● Sì, Mauro De Barberis.
□ Ma De Barberis, Barberis con una I o due?
● Una sola I.
□ Mauro De Barberis?
● Sì.
□ Sì, il Suo indirizzo?
● Via dei Banchi Nuovi, 12.
□ Codice di Avviamento Postale?
● 00186.
□ Sì.
● Roma.
□ Roma.
● Sì.
□ E... nome e cognome del destinatario, per favore.
● Allora... il destinatario è Dottoressa Graziella Bongiorno.
□ Buongiorno?
● No, Bongiorno.
□ Bongiorno senza la U?
● Senza la U.
□ Graziella Bongiorno.
● Bongiorno.
□ Sì, l'indirizzo, per favore.
● Via Oceri.
□ Oceri?
● Sì.
□ E... come si scrive?
● Oceri... Otranto, Cremona, Empoli, Roma, Imola.
□ Oceri, sì?
● 32.
□ 32.
● Piraino.
□ Piraino.
● Le faccio lo spelling?
□ No, no, Piraino, va bene. Provincia?
● Messina.
□ Messina e il CAP, per favore?
● 98060.
□ Bene, se mi dice il testo...
● Il testo?
□ Sì.

● Allora... "Auguri vivissimi...
□ Sì.
● ...per una lunga vita felice insieme."
□ Sì, terminato?
● E la firma... sì... la firma "Zio Mauro e famiglia".
□ "Zio Mauro e famiglia", va bene, grazie.
● Senta, mi scusi...
□ Sì.
● ...due cose: la prima... in quanto arriva? In quanto tempo arriva?
□ Eeehh... mmmhh... arriva domani a destinazione il telegramma.
● Ho capito, perfetto. Senta... la seconda cosa... siccome io mi trovo qui, non a casa mia...
□ Sì.
● ...io dovrei sapere cortesemente l'importo di questo telegramma per poterlo pagare io.
□ Sì, non glielo posso dire al momento naturalmente.
● E... come posso fare a saperlo?
□ Arriverà nella casa da cui Lei sta chiamando in questo momento una notifica... in cui è specificato l'importo complessivo del telegramma che poi verrà addebitato sulla bolletta telefonica.
● Ah... ho capito. Quindi viene inserito nella bolletta telefonica...
□ Sì.
● ...però al tempo stesso viene indicato in una comunicazione a parte.
□ Una notifica a parte, sì, esatto.
● Ecco, bene.
□ Va bene?
● Benissimo, sì. Allora credo che sia tutto... tutto chiaro, tutto a posto.
□ Va bene.
● Bene.
□ Arrivederci.
● Grazie, la ringrazio, arrivederla.
□ Di nuovo.

2. Ho cinque anni

(● Mamma □ Mattia)
● Dimmi una cosa... ma tu quanti anni hai?
□ Cinque.

● E allora vai a scuola?
□ Sì.
● E che scuola fai?
□ La prima B elementare.
● Dove? In quale paese?
□ Gioiosa Marea.
● E quanti compagni hai a scuola?
□ Non lo so.
● Più o meno?
□ Più o meno quattordici.
● Ma mi vuoi dire un po' della tua scuola? Com'è?
□ Bella.
● Grande... piccola...
□ Grande, con tante maestre.
● Poi? Cosa c'è nella tua classe?
□ I banchetti, le sedie.
● E la maestra dove sta seduta? Con voi?
□ No, c'è una sedia e un tavolo grande.
● E poi, dove scrive la maestra? Sui vostri quaderni?
□ No.
● E dove?
□ Sulla lavagna.
● E tu scrivi mai alla lavagna?
□ La maestra di matematica ci ha fatto scrivere a tutti.
● Davvero?
□ Sì.
● E tu dove scrivi però, di solito?
□ Nel quaderno.
● E poi, cosa fate? Mi dici un po' cosa fate durante l'ora di italiano?
□ Facciamo le lettere, abbiamo fatto già le vocali, poi facciamo dei disegni e li copiamo dal libro.
● E li colorate?
□ Sì.
● E quante penne avete? Di quanti colori?
□ Allora... rosso, blu, viola, verde e nero.
● E tutte ti servono?
□ Sì.
● Davvero?
□ Sì.
● E perché?
□ Perché... perché le storie noi in italiano le dobbiamo fare di tanti colori. E poi io quella di Carnevale, l'ho fatta ogni lettera di un colore.

● Ah... ogni lettera di un colore... come i coriandoli insomma?

□ Sì.

● Tu mi devi dire una cosa, che cos'è che ti piace di più, di più, di più della tua scuola?

□ Le mie maestre, i miei compagnetti.

● I tuoi compagnetti come sono? Simpatici?

□ Sì.

● E per esempio cosa fate insieme?

□ Una volta la maestra di storia e geografia ci ha dato un foglio che c'era disegnata una cosa e noi eravamo in quattro e ce lo siamo passati.

● Ah sì?

□ E l'abbiamo colorato insieme.

● Ah, che bello! E chi eravate? Me li dici chi sono i tuoi compagnetti?

□ Tutti?

● No, quelli con cui hai disegnato.

□ Ah, colorato.

● Colorato.

□ Fernanda, Marco e Andrea.

● Qual è Fernanda?

□ È sempre un po' stanca.

● Va bene.

□ Sempre.

● Ma com'è? Alta quanto te? Com'è?

□ C'ha sei anni...

● Ah... e com'è? Più alta di te?

□ Sì.

● Molto?

□ No molto.

● I capelli di che colore ce li ha?

□ Gialli.

● Gialli?

□ Eh, gialli.

● Biondi!

□ Biondi!

3. Un incontro

(□ Elena ●Francesco)

● Pronto?

□ Francesco, sono Elena.

● Elena, ciao. Sei già arrivata?

□ Sì, in questo momento.

● Ah, perfetto. Senti, però io non posso venire adesso da te, che sono ancora all'università.

□ Ah, beh... se preferisci, ci possiamo

vedere per pranzo, non ti preoccupare.

● No, ma vieni... vieni tu all'università adesso, poi andiamo a mangiare insieme.

□ Ah, va bene. Ma devo prendere il traghetto?

● No, no, no. È molto facile, vieni a piedi, ci vogliono... ci vogliono dieci minuti.

□ Va bene, va bene.

● Tu dove sei adesso?

□ Allora io sono in Piazzale Roma, davanti alla biglietteria.

● Perfetto. Hai una mappa?

□ Sì, certo.

● Allora se guardi la biglietteria, subito a sinistra vedi un ponte.

□ Mmhhh... a sinistra... sì, il Ponte di Calatrava.

● Sì, il Ponte di Calatrava. L'hai trovato sulla mappa?

□ Ma... veramente no.

● Non c'è? Forse è vecchia la cartina...

□ Senti, ma dove porta il ponte?

● Il ponte porta alla Stazione di Santa Lucia.

□ Ah, ecco, sì, sì, questa c'è. Va bene.

● Allora, per arrivare all'università, tu superi il Ponte di Calatrava...

□ Sì.

● ...passi la stazione...

□ Sì.

● E prosegui sempre dritta, arrivi ad un campo che si chiama Campo San Geremia e ad un ponte, il Ponte delle Guglie.

□ Sì, quindi sempre dritta fino al Ponte delle Guglie.

● Perfetto.

□ Sì.

● Al Ponte delle Guglie giri a sinistra.

□ Sì... aspetta, c'è scritto "Fondamenta di Cannaregio".

● Esatto, Fondamenta di Cannaregio.

□ Mmmm...

● Prosegui su queste Fondamenta di Cannaregio...

□ Sì.

● E arrivi ad un ponte, dei Tre Archi, si chiama.

□ Sì.

● Non devi arrivare al ponte. Poco

prima del ponte giri a destra, c'è una stradina, si chiama Calle Angelo.

□ Sì, sì, la vedo sulla mappa... eccola.

● Ok. Allora, praticamente l'università è lì, molto facile.

□ Ma dove mi aspetti? In segreteria, al bar, come... dove ci incontriamo?

● Eeehhh... facciamo così, vengo all'incrocio tra le Fondamenta di Cannaregio e Calle Angelo. Ci vediamo lì tra dieci minuti.

□ Ah! Va bene! Perfetto!

● Va bene? Così è più facile per tutti!

□ Perfetto! Va bene!

● Va bene?

□ Sì, sì.

● Se hai problemi, telefonami!

□ Certo! No, no, ma non penso di averne, mi sembra facile.

● Sì, è molto facile. Va bene a più tardi.

□ Ok, grazie, ciao.

● Ciao.

4. Buongiorno

Disc Jockey: Buongiorno! Benvenuti ad una nuova puntata di questo programma che vi terrà compagnia nelle prossime ore con una splendida selezione musicale. Tutto finalizzato ad illustrarvi le gioie di questa splendida città in un periodo in cui è veramente straordinaria.

Ci siamo lasciati alle spalle tutto il cattivo tempo di questo inverno, speriamo in maniera definitiva perché di acqua, pioggia ne abbiamo abbastanza ed oggi splende un sole meraviglioso! Un sole meraviglioso che rende ancor più godibile la città e i suoi dintorni. Parchi cittadini aperti alla gioia di bambini e non solo, c'è lo spazio per fare praticamente di tutto e questo spazio dovete prendervelo! Uscite di casa, andate a spasso per i parchi meravigliosi: Villa Borghese, Villa Pamphili sono a vostra disposizione. E poi divertitevi andando in giro anche in bicicletta per questa città che ogni tanto lo permette, soprattutto nei giorni di festa, il traffico è minore e la bicicletta è uno stupendo mezzo per girare la città e goder-

ne anche negli angoli più remoti.
Inoltre se proprio volete invece una giornata all'aria aperta veramente straordinaria, in pochissimi minuti potrete essere sul litorale. Il mare... questa esperienza ogni volta meravigliosa ed unica di arrivare sulla spiaggia e trovarsi di fronte una distesa d'acqua straordinaria, un sole che vi scalda la pelle... girate per le strade... e il modo migliore per essere tranquilli e sicuri è uscire di strada e incontrare gente che si diverte, quindi andiamo con il primo brano e ci risentiremo subito dopo per continuare la nostra puntata.

5. In Viaggio

(• Signora che arriva
□ Signora già seduta)
• Buonasera.
□ Salve.
• Eh... mi scusi, io mi dovrei sedere qui.
□ Scusi, ma io ho un posto prenotato, sono già seduta, questo è il mio posto.
• Ma, guardi, io ho il biglietto e il numero è proprio il 28, se vuole controllare, c'è qui la prenotazione, la carrozza è la 7.
□ Ma... non ho bisogno di controllare perché questo è il mio posto, quindi non ritengo insomma, che Lei debba sedersi qui, io ho il mio posto.
• Ma, scusi, Lei ha il biglietto?
□ Sì, sì, ce l'ho il biglietto.
• Posso vederlo? Magari c'è stato uno sbaglio o si ricorda male...
□ Certo, certo, aspetti, eh, che lo prendo...
• ...succede sa?
□ Aspetti, ho tante cose... non le trovo.
• Sì, capisco, certo, certo.
□ Ecco... sì, carrozza 7, eh... 28, sì, proprio 28.
• Eh, ma.... com'è possibile, è lo stesso posto?
□ Ma scusi, eh? Io ho prenotato via internet circa una settimana fa e... insomma, nelle varie opzioni ho scelto questa.

• E ha stampato questo biglietto?
□ Sì, sì, infatti è questo, è stampato.
• Ah, io invece ho un altro biglietto e l'ho fatto proprio ieri in biglietteria, mi hanno rilasciato questo, non capisco.
□ Effettivamente c'è un...
• È strano che succeda un errore... che ci sia un errore così.
□ Mah, guardi, io non posso altro che constatare che io ho fatto questo biglietto e secondo me il diritto spetta a me, una settima fa l'ho fatto.
• Eh va be', ma mica dipende da quando si... si fa il... la prenotazione... qui c'è stato uno sbaglio, io l'ho fatta ieri, ma anch'io ho diritto a sedermi, no?
□ Sì, ma secondo me lo sbaglio è di ieri, non di una settimana fa, perché c'ero prima io, insomma.
• Eh, va be', ma che significa "Lo sbaglio è di ieri", allora magari potremmo andare insieme dal controllore e farci spiegare qual è il problema e vediamo lui cosa ci dice.
□ Ma, io, guardi, adesso stavo facendo un lavoro, non ho intenzione di alzarmi, sono anche molto stanca...
• Signora, per favore, io sono così gentile, glielo sto chiedendo cortesemente, possiamo andare insieme, da sola non posso andare, il controllore mi direbbe "Ma mi faccia vedere entrambi i biglietti".
□ Sì, guardi, io volentieri le do il mio e rimango qua seduta perché insomma, le ripeto sono stanca e ho un lavoro da fare e non posso alzarmi visto che per me è un diritto questo posto.
• Guardi, io capisco... capisco che Lei è stanchissima, anch'io sono stanca. Magari se ci andiamo insieme, sbrighiamo tutto velocemente, e il controllore ci dà una soluzione. La invito magari a seguirmi, la prego non mi faccia insistere ulteriormente.
□ Sì, sì, ho capito che Lei vuole risolvere la situazione, anch'io la voglio risolvere. Andiamo dal controllore.
• La ringrazio. Benissimo, possiamo andare da questa parte, l'ho visto proprio lì nell'altra carrozza.
□ Perfetto. Mi metto... insomma,

in piedi.
• Sì, prego, faccia... faccia con comodo. Grazie.

6. La casa

(• Roberto □ Francesca)
• Ma... non te l'ho detto? Non te l'ha detto Anita?
□ Che cosa?
• Abbiamo comprato tutta una camera da letto, nuova.
□ Ah, bellis(simo... sì, me l'aveva, me l'aveva accennato. Bellissimo!
• Eh, sì, sì, abbiamo... l'abbiamo comprata, finalmente. Insomma, abbastanza grande.
□ È già arrivata?
• No, no, arriva... sabato, sì, sabato verso le due, le tre del pomeriggio.
□ Perfetto... no perché all'inizio mi aveva parlato del fatto che volevate comprare un grande armadio quattro stagioni...
• Eh, no, no, ma l'abbiamo comprato. Infatti l'abbiamo comprato. È molto grande, finalmente un armadio grande...
□ Comodo.
• ...comodo sì, assolutamente, ci sono anche... c'è il letto, naturalmente matrimoniale, poi due comodini, e c'è questa cassettiera abbastanza grande.
□ Perfetto, quindi tutti gli altri mobili, che cosa fate?
• Sì, sì, li vendiamo... probabilmente.
□ Ah perfetto! Senti e... questo grande armadio poi alla fine avete deciso dove sistemarlo? Perché Anita mi aveva detto che... insomma... stavate pensando... alla fine che cosa avete deciso?
• Sì, togliamo i due armadi che c'erano prima, quei due piccoli armadi...
□ Aspetta... due piccoli armadi? No, non ho presente.
• Sì, ci sono due armadi, poi c'è quell'appendiabiti vicino...
□ No, aspetta, perché io mi ricordo che entrando nella vostra camera da letto subito di fronte c'era una bellissima libreria...
• Una libreria?

□ ...e poi sulla sinistra della porta invece c'era il letto con i comodini.

● No... ho capito! No...

□ Come no?

● ...France', ma tu... ma tu stai pensando alla vecchia casa dove stavo prima... ma tu non lo sai? Non lo sai che ho cambiato casa?

□ Come hai cambiato casa?

● Ma da quant'è che non ci vediamo?

□ E be', da un bel po' di tempo.

● No, ora viviamo più o meno in una zona... sì, periferica, però è molto tranquilla...

□ Bellissimo!

● È una piccola casetta.

□ E quindi com'è... come sarà la nuova sistemazione? Come è fatta questa casa?

● Beh no, è piccola: sono più o meno 60 metri quadrati, c'è subito l'entrata, vai a sinistra c'è la cucina, che è una cucina abitabile...

□ Ah, beh, comodo, benissimo.

● ...dove si può mangiare anche in sette, otto persone, e poi subito vicino alla cucina c'è la camera da letto. Un po' strana come sistemazione però, insomma così, ci convinceva più così.

□ Quindi è molto grande la camera da letto...

● La camera da letto è abbastanza grande, sì, abbastanza grande...

□ Ah, bellissimo!

● ...per fortuna. Non è molto, molto luminosa, però è abbastanza grande. E poi invece dopo l'ingresso, a destra trovi subito un piccolo bagno, non c'è la vasca, c'è solo la doccia, e poi ancora sulla destra c'è l'ultima camera che è un soggiorno, anche questo molto grande... ci sono le librerie, due piccole scrivanie, il divano... insomma si sta bene.

7. Un negozio speciale

(● Cliente □ Negoziante)

● Senta, ma questi sono fatti a mano?

□ Solo ed esclusivamente a mano, io... praticamente ... ciò che vede... è solo fatto a mano.

● Che belli... sono dei colori stu-pendi!

□ Questo addirittura è particolare perché, effettivamente, insomma, lo può portare solo...

● Eh, ma sono fatti da voi i colori, proprio?

□ Sì, veramente li realizzo io.

● Ah sì?

□ Sì, esatto... i colori... no, i colori... non... sono... vengono così dalla casa.

● Ah, ho capito.

□ Sì, esattamente. Io poi li taglio e li lavoro.

● Ah, ah... e si fanno...

□ Sì, esatto.

● Ma, quindi questi si possono cambiare come misura, invece questi qui no, questi... se...

□ Esatto.

● ...diventano...

□ E tra l'altro questi vengono un pochino di più proprio perché ci metto un sacco di tempo per lavorare la parte qui.

● La parte di sopra.

□ Sì, questo è un adattamento.

● La base?

□ Esatto, è un adattamento, per esempio per una misura piccola come la sua questo potrebbe andar bene.

● Ah, questo qui.

□ Ecco.

● Ma... sono tutti di vetro?

□ Sì, esclusivamente vetro.

● Questo è argento, questo intorno o...

□ No, questo intorno è rame con stagno...

● Ah, ho capito.

□ ...e la parte, la parte sotto è d'argento.

● La parte di sotto... no, perché siccome ho un problema di allergia allora non vorrei che....

□ Allora, consideri che l'allergia viene solo con il nichel...

● Ah, quindi... non ci dovrebbero essere...

□ Il nichel ormai non lo trova più da nessuna parte.

● Va bene, allora questo qui... ma questo quanto viene?

□ Questo viene... dovrebbe essere 35

e questi 40... i più grandi.

● Sono diversi questi.... da questi?

□ Certo. Questi sono per me più lavorati proprio per la base... adattata, vede? Arrotondata, sagomata.

● Però il colore... sembra che ci sia più lavorazione qua, per il colore.

□ Questo e.... questo arriva proprio così, questo vetro... io lo taglio...

● In che senso? Ah, arriva così come colore?

□ ... lo compro proprio così, a lastre.

● Ah!

□ ...a lastre grandi, poi lo riduco piccolo così, lo taglio piccolo così come voglio, no? Anche per esempio con delle forme diverse tipo queste...

● Ah, ah, va bene, allora, facciamo questo.

□ Perfetto.

● Mi può fare una confezione regalo?

□ Va bene, d'accordo.

● La ringrazio.

□ Bene, Grazie a Lei.

8. Lavori di casa

(□ Marta ● Teo)

□ Cioè, va benissimo! È la prima volta che stiri, che ti vedo a stirare... per carità... cioè anzi apprezzo il tuo sforzo, però tu sai che io arrivo alle otto della sera, la prima cosa... che faccio, che vorrei fare sarebbe mangiare, insomma io lo faccio sempre... ecco.

● Mmh, mhh, va be'.

□ Magari, ecco, una domenica mattina se voi imparaste a stirare quando ci sono io.

● No, non capisco, guarda, son stanco anch'io la sera. Sai, a me non è che piace cucinare, lo sai questo. Ti faccio tutto, preferisco fare tutto il resto...

□ Ho capito, però è anche...

● Pulisco io, se vuoi, non... stare ai fornelli non mi piace, lo sai.

□ Ho capito, però è anche una questione di priorità. Eh... se vuoi aiutarmi, in certe condizioni, quando uno alle otto, otto e mezza arriva, lo sai che la prima cosa che vorrebbe è rilassarsi, vedere magari... semplicemente, anche, guarda, soltanto la tavola pronta, non ti chiedo altro... però sforzati!

● Sì, è la cosa che faccio tutte le mattine quando facciamo colazione insieme, la preparo io...

□ Sì, quello è vero.

● ...preparo io, pulisco io.

□ Pulisci te? Anche lì insomma... va be'... puliamo in due... ora...

● No, no. La colazione la pulisco io, la cena la pulisco io.

□ Ma pulisco nel senso? Lavi i piatti...

● E pulisco la cucina.

□ Metti a posto il lavello, eh... va be' ... no, no ma io non ti ho mai... voglio dire... non ho mai disconosciuto questo... ho sempre... ti ho sempre anche ringraziato, però.

● No, no, assolutamente, non è vero, non è che vieni e dici "Grazie", come io, è vero, non ti dico grazie quando cucini, non puoi dire questo.

□ No, l'ho riconosciuto... diciamo l'ho riconosciuto. Te lo dico sempre, comunque, che... io non so pulire come pulisci te, quando ti metti. Quando ti metti Teo, perché, diciamo la verità, in giardino quante volte ci sarai stato?

● Non certo poche, a pulire tutto quanto fuori.

□ Va be', chi lo fa prima, cioè chi lo fa di più son sicuramente io. Poi quando lo fai tu, cambia completamente aspetto, per carità, però ci son le foglie secche per esempio...

9. San Lorenzo

(□ Euridice ● Chiara)

● Ma poi ieri cosa avete fatto?

□ Ieri siamo andati a bere una cosa in un locale a San Lorenzo.

● San Lorenzo?

□ Mmm, mmm.

● Tutti a San Lorenzo andate. Io non capisco proprio perché.

□ Come "tutti a San Lorenzo"? È uno dei quartieri più divertenti di Roma!

● Divertenti?

□ Eh.

● È il posto più confuso...

□ Ma no.

● ...dove non penso proprio sia possibile rilassarsi. Tantissima gente, i locali sempre pieni... non lo so, non mi piace per niente, per niente!

□ Ma scusa... c'è tantissima gente, i locali sono sempre pieni proprio perché è un quartiere divertente, ha una vita notturna molto ricca, ci sono tantissimi giovani, non capisco perché non ti piaccia.

● Guarda... ma non riesco a capire cosa ci sia di... di particolare.

□ Mah... secondo me San Lorenzo è uno dei quartieri più interessanti di Roma. Se vuoi entri in un locale e ti vai a bere una cosa, oppure ci sono talmente tanti ristoranti che puoi mangiare qualsiasi tipo di cucina, altrimenti rimani per strada, sai c'è quella piazza grande con la chiesa, accanto al cinema, dove si riuniscono tutti i giovani la sera...

● Sì.

□ ...stai lì con gli amici... si sta bene!

● No, secondo me, no. Io ci sono venuta due volte, e entrambe le volte è stato un incubo trovare parcheggio e... e dopo quelle due volte ho detto "No!". Cioè... non riesco proprio a capire anche le persone che ci abitano, come possano muoversi con la macchina.

□ Ma infatti non devi andare a San Lorenzo con la macchina perché... a parte il fatto che è un quartiere abitato soprattutto dagli studenti e quindi, essendo studenti, avranno quasi tutti il motorino.

● Perché dici "studenti"?

□ Perché l'università è lì accanto, quello è un quartiere di studenti, San Lorenzo.

● No, no, allora non ho capito, perché l'università?

□ Come "perché"?

● Scusami, non è quel quartiere, appunto pieno di locali, di... anche discoteche, ristoranti, dove c'è il cinema, la chiesa, però è vicino al Tevere?

□ Ma no, tu non stavi pensando a San Lorenzo, stavi pensando a Testaccio!

● Aaaah.

□ A San Lorenzo non ci sono le discoteche, a Testaccio sì e poi San Lorenzo è tra la stazione Termini e l'università e non è vicino al fiume, è Testaccio che è vicino al Tevere.

● Ah... ho capito.

□ Sì, ti sei sbagliata!

● Eh sì!

10. Una ricetta tipica

(● Renata □ Grazia)

□ Come si fanno questi bigoli in salsa?

● No, c'è sempre il problema di scegliere se farla secondo...

□ La tradizione.

● ...la tradizione e la regola cioè di comprare le sarde.

□ Ah, con le sarde si fanno?

● E... sì, con le sarde, quelle salate, sotto sale. Quello...

□ Che si dovrebbero raschiare con un coltello e tirare via tutto il sale.

● Però è un po' difficile... e così...

□ E come, come si fa?

● Allora, ci vorrebbero i bigoli mori che sarebbero gli spaghetti integrali...

□ Ah, ok...

● ...però si può fare anche...

□ Ma si possono... si fanno in casa... si facevano in casa tradizionalmente?

● Beh... una volta probabilmente sì... con la trafila. Ma insomma... no, si comprano i bigoli mori...

□ Ok.

● ...che sono quelli un pochino anche ruvidi oltre che...

□ Che tengono meglio.

● ...integrali scuri...

□ Ah, ok.

● ...mori vuol dire scuri...

□ E certo.

● ...però...

□ Anche quelli bianchi vanno bene.

● ...si può fare anche con gli spaghetti normali, insomma, ecco, niente.

□ E poi?

● Sì, se poi ci sono quelli ruvidi... sempre meglio, no? Perché assorbono di più il condimento. E... poi dopo si deve prendere della cipolla bianca e tagliarla fina fina fina fina e farla...
□ Le quantità?
● Mah... io faccio a occhio, ma insomma... tanta!
□ Ah proprio tanta tanta?
● Beh sì.
□ Una cipolla intera grande o una piccola o...?
● Una cipolla grande, sì. Una grande, la tagli fina fina e la fai andare con l'olio finché diventa un pochino bionda e poi dopo ci fai sciogliere le sarde, io ci aggiungo per farla un po' morbida anche un pochino di acqua di cottura...
□ Della pasta.
● ...della pasta, no? Perché se no rischia di asciugarsi un po'.
□ E basta? Fatto?
● Ecco. Basta, fatto e condisci.
□ Ah, facile.
● Sì, io la faccio con quelle sott'olio.
□ Quindi tanto olio ci vuole anche?
● E l'olio, sì, certo.

11. Nuovi mestieri

(● intervistatrice □ Sergio Guastini)
□ Buongiorno, abbiamo al telefono un *Raccontalibri*, così si definisce il signor Sergio Guastini. Intanto quanti anni ha? Mi scusi, ma glielo devo chiedere, eh?
● Va bene, 55.
□ 55. E lei racconta una storia come la racconterebbe un bambino...
● Sì, perché davanti ho dei bambini. Quando vado a fare il *Raccontalibri*, che è una cosa che ormai faccio da un... da un mese. Il *Raccontalibri* è un libraio che dalle 8.20 alle 9.20 di sera va nelle case dei genitori e lì per 6-7 bambini racconta, fa vedere, mostra, legge i libri... i libri che contengono il virus della lettura.
□ Tutto questo dove avviene?
● Questo avviene in tutta Italia... questo avviene...

□ Cioè Lei si sposta, va in giro?
● Vado in giro, sì, perché girare vuol dire... vuol dire portare, portare, portare, portare, i libri intriganti... i libri... i libri che fanno leggere il giorno dopo.
□ Lei è un libraio, questo è il suo primo mestiere, è vero? A Sarzana, quindi siamo vicino La Spezia...
● A Sarzana, sono un libraio per ragazzi e a Sarzana esiste una libreria per ragazzi.
□ E quando ha iniziato questa sua attività?
● Questa... questa attività è iniziata... diciamo un quarto di secolo fa, venticinque anni fa.
□ E le capitava già di leggere magari i libri, delle storie per... i ragazzi, i bambini che entravano nel suo negozio?
● Sì, sì, all'inizio era così, poi, come dovrebbe fare ogni libraio per ragazzi forse, bisognerebbe spostare proprio il luogo deputato alla lettura, trasformarlo, andare in altri posti dove... dove esiste una contaminazione diversa rispetto alla lettura... nei monasteri, negli ospedali, nei treni... nelle barche...
□ Ma come si fa a entrare in contatto con Lei? Io sono a Roma, come faccio ad averla a casa mia a leggere una storia a mia figlia, una sera?
● Bene, basta... basta telefonare alla "Libreria dei ragazzi" che è 0187627245, si prenota il *Raccontalibri* e si trova il modo per fare un tour in una... in una zona dell'Italia.
□ Li mette pure a letto, poi, i bambini?
● No, non li metto pure a letto, nel senso... nel senso... nel senso... che normalmente la storia va a finire che non finisce... che i bambini, i ragazzini, poi alla fine anche i genitori, vogliono... vogliono prolungare la storia, vogliono che io mi fermi... io in realtà accetto volentieri una fetta di dolce, perché sono goloso, prendo la mia gerla e me ne torno a casa.

12. Ricordi di scuola

(● Simona ▼ Amico □ Amica)
● Quando andavo a scuola, avevo questa maestra molto rigida. Una volta avevo questa... avevo il naso sporco e lei, che aveva questa abitudine un po' di umiliare i bambini, mi ha fatto alzare, mi ha detto: "Ma... ce l'hai il fazzoletto?". E io ho capito che avevo il naso sporco e le ho detto che ce l'avevo, no? Dice: "Allora prendilo". Metto le mani in tasca e non trovo il fazzoletto. Sicché le dico: "L'ho lasciato fuori nel cappotto." Perché i cappotti erano appesi fuori dalla classe. E lei ha detto: "Allora vallo a prendere." Piano, piano, io ero timidissima tra l'altro, una bambina, proprio...
□ Cattiva questa!
● Sì, sì, molto rigida. Esco dalla porta e vado a cercare il fazzoletto con la speranza di trovarlo e il fazzoletto non c'era. Sicché in qualche modo... insomma... rientro, sperando che lei nel frattempo... non si ricordasse...
▼ Si fosse dimenticata.
● ...si fosse dimenticata. Invece mi riferma e dice "L'hai trovato il fazzoletto?"
□ Mamma mia!
● E io ho detto "Sì".
● Dice: "Allora prendilo".
□ Disperata!
● Cioè io non so dove ho trovato la forza, ma mi son rimessa le mani in tasca al mio grembiule e miracolosamente io ho trovato il fazzoletto tutto accartocciato in un punto della mia taschina e prendo su 'sto fazzolettino che in condiz... le condizioni non so come fossero... però ho detto: "Ecco." "Ah, va bene, vai a posto." E così è finita.
▼ Un miracolo praticamente.
● È miracolosa, sì, sì, 'sta storia. Tutte le volte che...
□ Ma la maestra era sempre così?
● Sì, era molto dura, sai queste di vecchio stampo... questa maestra... di quelle che non ce ne sono più.
▼ Per fortuna!
● Per fortuna, mamma mia.